MALA DE SENHORA
E OUTRAS HISTÓRIAS

Publicações Dom Quixote
[Uma Chancela do Grupo LeYa]
Rua Cidade de Córdova, n.º 2
2610-038 Alfragide • Portugal

Reservados todos os direitos de acordo com a legislação em vigor.
© 2004, Clara Ferreira Alves e Publicações Dom Quixote
Lisboa, Novembro de 2009

Capa e Projecto Gráfico: Arco da Velha – design
Foto da autora: © António Pedro Ferreira
Revisão: M. Manuela Vieira Constantino
Paginação: Filipe Tavares
Depósito legal n.º 298 213/09
Impressão e acabamento: Mirandela, SA

Coordenação de projecto: Direcção de Novos Negócios – LeYa
Venda exclusiva com a VISÃO e com o EXPRESSO.

JORNALISTAS ESCRITORES.
ESCRITORES JORNALISTAS

CLARA
FERREIRA ALVES
MALA DE SENHORA
E OUTRAS HISTÓRIAS

Índice

O COLECCIONADOR

Nos cafés de Paris no meio do Inverno fazem-se amizades de repente. Uma mulher pediu um jornal emprestado a dois homens da mesa do lado, que tomavam chá e acariciavam livros ao mesmo tempo. Um deles, o mais novo, um rapaz bem-parecido que podia ser o neto do outro, era o único que falava. Tinha um cachecol cor de musgo enrolado ao pescoço, por cima de uma camisa branca aberta no peito. Um casaco de cabedal preto e o aspecto de pertencer ao que os franceses gostam de chamar *jeunesse dorée*, como se a juventude não fosse sempre uma coisa doirada, um lugar ao sol. De vez em quando esfregava uma mão na outra como a aquecê-las e viam-se umas unhas largas e impecáveis, unhas de mãos pouco usadas excepto para os prazeres do espírito.

O mais velho tinha uma distinção de príncipe se os príncipes ainda existissem. Um bigodinho fino e branco, da cor do cabelo penteado para trás a descobrir uma cara seca e manchada do tempo. Devia ter sido um belo homem e sobravam restos dessa beleza antiga no modo como sorria devagar com dentes bem tratados, dentes de rico, e como pesava as palavras na balança, uma a uma, antes de as dizer, em voz baixa, com os modos de um aristocrata. Os dois homens conversavam, um falava e o outro ouvia, interpondo aqui e além uns sinais de acordo, de assentimento.

A mulher pediu o jornal emprestado enquanto mexia o café com natas, aquecendo as mãos na chávena. Lá fora estava um frio de rapar e só os parisienses convictos e os americanos de passagem insistiam em ficar na esplanada, albergados na luz dos aquecedores a gás que entornavam um calor artificial sobre as cabeças cobertas de gorros e capuzes. As pessoas que entravam no café à procura de mesa entravam de repente, estonteadas do quente depois do frio, com as maçãs da cara vermelhas e os dedos roxos, o cabelo pingado de gelo, os olhos a piscar da luz dos candeeiros de vidro fosco reflectida nas madeiras das mesas e nas paredes cobertas de gravuras. O ar cheirava a gente, gente amontoada, o perfume das damas, o tabaco dos cavalheiros, e a pão quente, a baguete com manteiga, ao queijo derretido do *croque-monsieur,* a salpicão e tartes de maçã. Era uma alegria entrar no café depois de andar na rua. No último mês, Paris tinha sido varrida por tempestades de granizo e vento, que arrepiavam o dorso do Sena encapelado como um mar castanho e faziam as pontes tremer de frio.

A mulher acabara de entrar e reparara logo, porque era da mesma idade, no homem do cachecol verde e nas suas mãos longas e fortes, que a encantaram. Pediu um expresso com sotaque italiano e esfregou as mãos antes de despir as luvas. Sem nada para ler, interpelou a sorrir os vizinhos do lado, que tinham deixado o *Le Monde* em cima do banco corrido, a separar a mesa dela da mesa deles. O mais novo pegou no jornal com delicadeza e entregou-lho com um gesto admirado, reparando na exuberância dela, nos cabelos negros a escorrer pelas costas, no casaco de peles, nas unhas de verniz, no desenho exagerado dos olhos, como uma egípcia. Só podia ser italiana, e era. Por que haveria de querer ler o aborrecido *Le Monde?* Um desperdício, pensou ele.

Minutos mais tarde meteram conversa, aproveitando um momento de silêncio do mais velho, que fixava os olhos num ponto qualquer, para além do café, da rua, do rio, da cidade, para além do mundo. Ela reparou que ele pousava a chávena com muito cuidado e gestos precisos, sem baixar os olhos, sem desfitar os olhos.

Uma hora mais tarde já se tinham apresentado, ela era de Milão, tinha uma galeria de arte, contemporâneos, gente nova e gente consagrada à espera de se transformarem nos clássicos do futuro. O homem mais velho era um amante da arte mas, para ele, a arte tinha parado a meio do século xx.

Começou a falar, muito, quase atropelando as palavras. Depois de Matisse e Picasso, de Morandi e Mondrian, nada o interessava, muito menos esse borrão narcísico que passava por arte contemporânea. Abominava Pollock,

Rothko, Bacon, não por serem maus mas por não terem sido tão bons como tinham obrigação de ter sido. Pollock fez bem em matar-se antes de a tragédia se transformar numa farsa e Rothko era um bom colorista, mais nada. Qualquer pedaço de cor de Gauguin ou Van Gogh valia toda a obra dele. Bacon era um bom pintor, grande mão, sussurrava o velho, perdeu-se a contemplar a sua degenerescência e abjecção, fez da lama um objecto da pintura, dizia isto com os olhos postos muito além, e ele não se interessava pela abjecção. Papas por papas, preferia o de Velázquez. Freud, o Lucian, era uma fraude, e torcia o bigode levemente a dizer isto, espiando a cara pasmada dela. O outro, o avô Sigmund, também era uma fraude mas uma fraude menos interessante. Na verdade, a pintura, a pintura dos Grandes Mestres, era a paixão do velho, a sua razão de viver. Era um coleccionador.

A conversa sobre arte fizera-lhe vir à face uma cor rosada, cavando entre as rugas uma luminosidade que lhe esboçava o perfil em aguarela. Entusiasmava-se, raspava a mão na mesa, suavemente, como quem bate o compasso de uma música interior só por ele ouvida. Falava de Tiziano, Piero della Francesca, Rafael, Veronese, Tintoretto, Giorgione, Caravaggio... Os italianos, os que amava sobre todas as coisas. O génio de Roma, Veneza, Florença, Nápoles.

– Minha senhora, no país de Leonardo e Michelangelo interessar-se por contemporâneos é um crime, é assassinar o olhar. Olhe para uma das figuras masculinas de Andrea del Sarto, um dos cavalos de Carpaccio, e diga-me se não valem todas as Guernicas deste mundo.

O Picasso era um subproduto dos grandes, dos maiores. Cézanne, Matisse, Gauguin, mesmo o pobre Braque, eram melhores. O que o infernal Pablo tinha era o ego de um monstro, e uma longevidade que o autorizou a ser Picasso em vida. Sofreu pouco, o canalha, e a grande arte só se faz com sofrimento. Repare nos auto-retratos de Rembrandt, está lá, a marca do sofrimento, da vida vivida. O Picasso, como bom espanhol, só pensava em mulheres e em desfazê-las. O Dali era melhor pintor que ele mas foi desfeito por uma mulher. *C'est un destin ignoble.*

O homem mais novo, que parecia um donzel de um dos retratos de Tiziano, um pouco macerado, escutava a torrente de palavras como se as conhecesse, e estudava o efeito que elas produziam na mulher, que mantinha a boca entreaberta, o bâton mordido, o que a tornava ainda mais provocante.

Por volta da hora de jantar, eram amigos. O velho apreciava as respostas dela, sem nunca lhe olhar para a cara, e ela sentia-se presa aos dois, o mais velho e o mais novo, e quase lhe apetecia pedir para eles não se irem embora, jantarem com ela. Ficarem juntos.

De repente, o mais velho disse ao outro para dar um cartão à signorina, e convidou-a a visitá-lo. Tinha uma casa em Paris e outra no campo, e gostaria que ela fosse ver uma parte da sua colecção. Durante toda a conversa ele nunca se referira à colecção, nunca dissera o que a compunha, o que tinha e não tinha. Ela imaginava que devia ser uma colecção clássica, sem preço, óleos precio-sos arrebatados na Christie's e na Sotheby's. Heranças de famílias. O mais novo deu-lhe dois cartões pegando delicadamente nos dedos dela ao oferecer-lhos. Um era dele, o outro do velho.

– Temos de ir, telefone-me para combinarmos a visita. Verá que não se arrepende.

– Certamente, com todo o prazer. Ainda fico em Paris uns bons dias. Aceito o convite. Tome também o meu cartão.

Dois dias mais tarde, o homem do cachecol verde telefonou-lhe, perguntando se aceitava o convite para passar o fim-de-semana numa casa da Normandia, perto de Honfleur. Seria a única hóspede e convidada, e poderiam falar à vontade. Ele gostaria de lhe mostrar a costa, se ela não conhecia, o mar de cinzas, as praias com tanta areia que para chegar ao mar era preciso atravessar o deserto.

E comeriam ostras.

Explicou-lhe que era o sobrinho do outro, que nunca tivera filhos. Era um aristocrata, falido, que não renunciara a viver como um aristocrata. Depois de enviuvar, a colecção era a sua razão de viver, a sua mania, e se deixara de adquirir arte não deixara de amá-la, discutindo obsessivamente com outros coleccionadores, por carta. Era um recluso, e a epístola era a sua comunicação. Não recebia nunca, ouvia música, quartetos, sinfonias, e lia. Ou melhor, ouvia ler. Era cego. Cegara há uma dúzia de anos, não se quisera operar, e vivia nessa penumbra donde não lhe apetecia sair. Já tinha visto toda a beleza do mundo e tinha guardado em casa alguma dela, e quando olhava para a sua colecção via-a com os olhos de dentro, via-a com a memória e esta certeza bastava-lhe.

Não precisava de mais. Conhecia cada risco, cada matiz, cada traço, cada pormenor, cada rabisco, cada expressão.

Devia ter gostado dela, do som da voz dela, porque o sobrinho não se lembrava de ele ter convidado alguém para casa.

Ele tem tão pouca gente com quem conversar. Eu não me interesso por pintura, sou um escritor frustrado, sou de outra religião. Ele sente-se só comigo, às vezes.

Não imagina como este convite me agrada. Não sei como poderei agradecer-lhe. Acha que o posso convidar para me visitar em Milão?

— Não, ele nunca sai. Nem de casa. Excepto quando estamos em Paris, para vir a este café. Aqui ao lado, fica a nossa livraria favorita, onde ele costumava encomendar livros de arte, e é o único gesto do passado que mantém. Desde a morte da mulher e a cegueira, ele desistiu. Creio que só vem a Paris por minha causa, para me visitar. O resto do tempo vive só na outra casa, com dois criados tão velhos como ele. E o motorista. É este motorista que a irá buscar ao hotel na sexta-feira. Leve roupas quentes, faz muito frio na Normandia, o sopro polar do mar do Norte. A comida é excelente. A sua presença dará luz àquele casarão. E a mim.

Disse isto no mesmo tom de voz, como por acaso, como se não fosse importante. Ela sentiu que aqueles dois eram misteriosos, uma tristeza qualquer pairava como fumo de cigarro sobre as suas cabeças, sombreava-lhes o corpo. Interrogou-se sobre a sensatez de aceitar um convite de dois estranhos, mas a voz do homem e a atracção que sentia por ele levaram a melhor.

O motorista chegou ao Bristol à hora marcada, um velhote aprumado como um ponteiro de relógio, que guiava a noventa na auto-estrada, sem uma palavra. Ela achava que devia dizer umas banalidades, o tempo, a viagem, todas as tentativas de conversa foram rematadas com um *À votre service, Mademoiselle.* Como se dissesse, por favor, fique calada.

Chegaram de noite, a uma mansão saída de um conto de fadas ou de terror. Um portão, uma alameda cheia de árvores em túnel, encharcadas da chuva, curvadas ao vento. E uma porta que dava para um átrio antigo, cheio de madeiras e espelhos, com uma escadaria de mármore à direita. O homem mais novo recebeu-a beijando-lhe a mão ao de leve, vestido com outra camisa e uma écharpe de seda ao pescoço. O cabelo caía-lhe para a testa e tinha os olhos semicerrados, como a contemplá-la. Uma criada encaminhou-a para um dos quartos, o dela, e o homem disse que ficava cá em baixo na saleta à espera para tomarem uma bebida antes de jantar. O outro só desceria a essa hora, estava a repousar.

A casa ostentava magnificência que não se previa lá de fora. Mobílias império, cortinados de seda, retratos de antepassados. O quarto era grande e frio, mesmo com o aquecimento ligado. Uma cama de dossel e uma casa de banho de século XIX. Colcha de seda, toalhas com rendas, porcelanas, frascos de vidro azul. E no ar um cheiro a mofo, a armários fechados e alfazema seca. Deviam ser ricos, difícil manter uma casa daquelas, vazia. Mudou de roupa e desceu.

Cá em baixo o mais novo esperava-a à porta da saleta, como se soubesse que ela ia entrar. Tinha champanhe à espera, num balde, e dois copos de cristal. Olhou para ela com admiração, certo de que era correspondido. Depois sentou-se e disse:

– Peço-lhe apenas um favor. Um único. Peço-lhe que quando vir tudo o que tem para ver durante estes dois dias, não diga o que vê. Ouça, apenas. Ouça o que ele diz, responda-lhe, embora ele dispense respostas quando está a falar da colecção. Será um longo monólogo. Por mais espantada que fique, mantenha-se em silêncio. E nunca, nunca, faça perguntas. Nem as mais óbvias. Converse, não argumente. Eu irei para Paris consigo, iremos no meu carro, falaremos depois do que irá ver aqui.

Ela sorriu, sem conseguir falar. O que era aquilo? O que se passava? Não se sentia inquieta, sentia-se curiosa. Tinha confiança naqueles dois, como se os conhecesse há muitos anos.

No dia seguinte, o velho começou a falar da colecção. Pediu-lhe para o acompanhar e foram os dois, em sossego, até à Biblioteca e às salas onde se encontravam os quadros. Eram desenhos. O velho coleccionava desenhos antigos, Escola Italiana dos séculos XV e XVI, principalmente.

Entraram numa sala às escuras, um salão de paredes adamascadas, com o criado atrás a acender as luzes. O velho começou a falar apontando as paredes. Falava muito devagar, soletrando as atribuições, isto é um Correggio, isto é um Caravaggio... Giovanni Lanfranco, Pietro Testa, Ludovico Carracci, Guido Reni, Domenichino, Parmigianino... da Escola de Parma... Andrea Boscoli, um florentino...

Tinha também dois Poussin, século XVII, e falava deles com um amor e um entusiasmo sem medida, como se tivesse de repente dezoito anos e estivesse apaixonado. Saltitava num pé noutro, mexia as mãos, contente, explicando sempre. Passaram a outra sala mais escura ainda, uma cela com tectos trabalhados, onde estava «o tesouro». *Le trésor.* O tesouro era um da Vinci, um desenho do grande Leonardo, uma mulher com uma criança, que não era a Virgem, não era o Menino, ele continuava a falar, a explicar, a datar e precisar. Dizia que demorara anos a adquirir a colecção, pacientemente, batendo-se contra os coleccionadores milionários, os americanos, os museus, todos os que ameaçavam a sua paixão. Sacrificara tudo àquela colecção, perdera tudo menos aquela casa, todo o dinheiro da família e da família da mulher, que aprendera a amar os desenhos tanto como ele. Aliás, a casa era da mulher, a casa dele, um château, fora vendido anos antes. Nunca tiveram filhos, o que contribuíra mais para a obsessão.

Ele falava dos desenhos como se os visse, via-os de facto, no plano superior da sua imaginação, da realidade sentimental, como um amoroso que se recusa a ver a fealdade do objecto amado. Ou a sua inexistência. Como um amor não correspondido.

Ela ia seguindo o velho na peregrinação, em silêncio, cortado pela voz dele, a voz de um rapaz. Veja, repare, a sépia, o vermelhão, a tinta, o carvão... a pátina do tempo... O génio. É isto a arte, este traço, estes desenhos que vieram da mão do artista, estabelecem com ele uma intimidade quente, como se ele ainda estivesse vivo. Como se o sangue ainda corresse nas veias. Ninguém consegue desenhar um músculo, um corpo em estase ou em movimento, como um Mestre. Nenhuma tela nos dá, pela grandiosidade da escala, esta intimidade, pelo contrário, intimida-nos.

Horas depois, ela sentou-se exausta numa das cadeiras da saleta. O outro homem esperava-a com os olhos brilhantes.

– Gostou?

– O que posso dizer? É inacreditável. Simplesmente inacreditável.

E era. As paredes estavam todas vazias, com excepção de um desenho, o da Vinci, um milagre de delicadeza em tons acastanhados, corpos sombreados, prova da mão de Deus guiando a mão do Homem. Uma obra-prima. E mais nada, molduras de madeira, molduras doiradas, moldura atrás de moldura sem nada lá dentro. Vazias.

No regresso a Paris, no carro do homem mais novo, ela manteve-se calada. Ele falou com uma voz baixa, monocórdica.

– Não sabe que as molduras estão vazias. E nunca saberá. Tive, como único herdeiro, de vender os desenhos. Excepto os que estão ainda nas caixas, que são os que ele gosta menos. Que, aliás, me pertencem. Por causa dos impostos e do medo de morrer e de o Estado francês ficar com os desenhos, há muito que ele os doou. A mim. Tem uma absoluta confiança em mim, sabe que nunca o trairia.

– Nunca o trairia?

– Não. Vendi os desenhos com um infinito desgosto. Era preciso, senão ele não poderia manter aquela casa, os criados, o motorista, a casa de Paris. Estaria na miséria, ou a meu cargo, e eu não sou rico. O orgulho dele nunca o toleraria. Matar-se-ia. É desse género, cicuta ao amanhecer. É um homem como já não se fazem. E eu gosto demasiado dele para que isso aconteça. A cegueira foi uma bênção, porque ele continua a ver os desenhos, com os olhos da alma. É um grande homem, o meu tio. É preciso que viva contente e com dignidade os seus últimos anos. Eu não herdarei os desenhos, e mantenho-o vivo. Os criados sabem disto, e os amigos coleccionadores com quem ele se corresponde também. Mantemos o segredo, que agora você fica também a saber. Sei que nos honrará com o seu silêncio. O meu tio viveu, vive, para aquela colecção. Eu aprendi a amar a colecção por causa dele, e quando os desenhos foram a leilão, ou foram vendidos em privado, sofri como se me cortassem as pernas e os braços, me arrancassem a pele. Não havia outra solução.

– E ...

– Só não vendi o da Vinci. É demasiado belo, demasiado importante. O preço obtido permitir-nos-ia resolver alguns problemas financeiros que não foram inteiramente resolvidos mas, não consigo. Quero ficar com ele. E sei que nunca o venderei. Será a presença do meu tio na minha casa, depois da morte dele. Quero ter um filho a quem o deixar. O da Vinci é a eternidade, a única a que podemos aspirar. O resto desaparece. O meu filho, e o filho dele, e o filho do filho dele, guardarão o Leonardo.

Olhou para ela com um olhar fundo.
– Percebe agora por que lhe mostrei a minha vida?

O CONTO
E A HISTÓRIA

Todas as tardes quando chegava a casa do trabalho despia com cuidado o fato preto e colocava-o em cima da cama, com mãos brandas, como se pegasse em copos de cristal. A seguir, desapertava o colarinho da camisa e alargava o nó da gravata preta, que retirava do pescoço como quem retira o laço do enforcado. Pendurava a camisa e a gravata nas costas da cadeira, e vestia-lhes o casaco, punha as calças dobradas em cima do assento. No lusco-fusco das persianas caídas do quarto, a cadeira parecia uma forma humana sem cabeça, guilhotinada. Era de madeira trabalhada e espaldar alto, escolhida pela mulher que mobilara toda a casa enchendo buracos, espaços abertos, cantos desabrigados, com peças e mais peças, enfeites e mais enfeites. O horror ao vácuo. A casa transformada numa loja de ferro-velho. Prateleiras, mesinhas, escrivaninhas, nichos, bengaleiros, cómodas e armários que nunca se tinham encontrado antes e que nunca se chegaram a dar uns com os outros.

Antes de morrer, o gato era o único que desfrutava da abundância de esconderijos, almofadas e poltronas, rebolando-se pela casa com egoísmo de filho mimado. Não tiveram filhos. E o gato morrera seis meses depois de a mulher morrer naquele quarto, velada pela cadeira engravatada. Uma doença má, disseram as vizinhas, como se existissem doenças boas. Os médicos tinham feito o que podiam, análises para diante e para trás, tratamentos para cima e para baixo, e no fim uma palmada nas costas. Não podemos fazer nada, a doença estava muito adiantada. Como se existissem doenças atrasadas.

Depois de ficar viúvo sentira-se pela primeira vez na vida muito só. Não tinha feitio para amizades, nem idade para namoros. Estava à beira da reforma, embora a ideia da reforma num empregado de uma repartição de um registo civil fosse uma redundância. O emprego, a monotonia dos dias na repartição alumiada pela luz fosforescente de dia e de noite, de verão e de inverno, como um sepulcro destapado. Não gostava de televisão, nem de mesa de café. Não tinha carro, nunca sentira a necessidade de viajar mais longe que os lugares onde podia viajar um comboio. Aviões nem que lhe pagassem, e os barcos faziam-no cismar, poisados sobre o rio.

Pareciam-lhe de papel, demasiado fracos para aguentar o mar. Era, sempre fora, um cobarde. A viagem, e a vida, provocavam-lhe uma repulsa picada, como se tocasse em urtigas. Só a morte lhe parecia perfeita, lisa, e sentia na pele um arrepio como se tocasse em marfim polido quando pensava nela. Tudo passageiros de uma viagem sem destino. Viajantes que não chegavam a chegar. A extinção, pó que regressa ao pó. A morte tornava tudo desnecessáro, excessivo, excedentário. Tudo o que a vida precisa a morte dispensa. A morte não quer acessórios, desculpas, ocupações, contas, histórias. No registo, o alvoroço com que as pessoas participavam os casamentos, os nascimentos, deixavam-no, ainda, surpreso. Cada averbamento, cada certidão, cada nome novo, era uma morte anunciada. Cada nascimento era um óbito. Morituri te salutant. Não era religioso e a eternidade não existe. A mulher benzera-se, acendera velas, largando esmolas nas caixas das igrejas, pacificando Deus com uns trocos. Se houvesse Deus, seria um gigante pisando homens como quem pisa carreiros de formigas. Uma noite, pensara em suicidar-se. Era demasiado cobarde para isso. Se falhasse, a vergonha devolver-lhe-ia uma vida insuportável, seria obrigado a suicidar-se pela segunda vez. As horas antes do jantar pesavam-lhe e foi então que começou a comprar um jornal diário e a apontar os mortos num caderno de folhas pautadas. De um lado os homens e do outro as mulheres.

Tinha, empregado de registo, a mania dos registos, uma contagem das almas. Não lhe interessavam todos os mortos, nem pegava nos obituários e necrologias. Senhora dona maria adelaide de sá fagundes da silva miranda rocha, a família, agradecimento, e a lista dos parentes. Desinteressante. Desejava apenas os assassinados e os suicidas, os violentados e os espancados, as vítimas de desastre e de desatino. As plantas arrancadas, as árvores abatidas. Não gostava de muitos de uma só vez. E gostava de saber pormenores. Preferia quatro mortos numa colisão frontal, identificados, com idades, a quarenta e cinco mortos num descarrilamento, por identificar. O colectivo diluía a tragédia em banalidade. Depois de pendurar o fato e de vestir o pijama, sentava-se à mesa da cozinha, abria o caderno e o jornal, e catava mortos como quem cata pulgas num gato, passando a mão ao correr e ao contrário do pêlo, devagar. Os mortos mais interessantes não eram os da primeira página, eram os das noticiazinhas da secção nacional, da sociedade, da regional. A regional ocultava tesouros, as histórias por contar. Ele contava quantos, quem, como, dava-lhes a atenção que o jornal lhes negava.

Imaginava o porquê. O homem que deixara o carro em cima do tabuleiro da ponte e se lançara sobre as águas, afundando-se. O casal de namorados que tomara comprimidos. O marido que esfaqueara a mulher e esquartejara o corpo. O tio que dera um tiro no sobrinho com uma espingarda. A criança que fora encontrada nos arbustos. Não gostava de mortes de crianças, prematuras, mortes antes da vida. Nem de recém-nascidos em sacos de plástico, órfãos de mães piores que animais. Também não gostava de mortes de velhos, mortes depois da vida. A brusca interrupção da vida a meio, a vida vivida plena e desatenta à morte, era o que procurava. Ou o suicídio, que lhe excitava a imaginação. Um homem sai de casa, vai trabalhar, sai do trabalho, pára o carro no tabuleiro da ponte, atira-se ao rio, causa um engarrafamento. Que perfeição. Arrumados em vinte linhas nas morgues dos jornais jaziam mortos em todo o seu esplendor aos quais os jornais não ligavam. As mortes célebres ficavam fora das contas, e só registava cidadãos do país. Era o especialista do anonimato, das vidas sem história até à hora da morte. Um dia, à saída de casa, foi atropelado. No dia seguinte, o nome, a idade, os sinais vagos, vieram no jornal que ele não comprou.

LOVE ONLINE

No dia treze às treze e trinta do ano dois mil e treze ela chegou a casa e encostou-se à parede. Olhou para a cadeira. Despiu o casaco, descalçou os sapatos com cuidado um a um pegando nos saltos com as pontas do dedos como se fossem partir-se, pousou a mala de mão e desapertou o nó do lenço que lhe enrolava o pescoço. Olhou para a seda e pensou como haveria de fazer aquilo. Com um lenço? Não sabia matar-se com um lenço. Ninguém sabe matar-se com um lenço, é um enforcamento para filmes românticos. Melhor, um crime. Um lenço é bom para matar outra pessoa e não para matar o suicida, que é exactamente a mesma pessoa que se quer matar. Bem gostava de o matar a ele, ou a ela, como? A questão não era o lenço embora matar com um lenço exigisse uma força que ela não tinha. Uma força de homem.

Atirou o lenço para o chão e foi como se de repente ficasse sem forças. Exausta da vida, exausta de tentar viver a vida. A história deles fora romântica, se fora. Quando se tinham conhecido ela deslizara o corpo por muitas outras histórias, nenhuma delas romântica. Era do género de ter azar, ou eram casados ou recém-divorciados traumatizados, ou misóginos, ou andróginos, ou patogénicos ou esquizofrénicos. Quando era mais nova e acreditava em todos os sonhos do mundo e no tempo eterno do amor, achava que ia ter pelo menos uma história romântica. Daquelas com rosas e bilhetes e lábios colados. E um homem, daqueles que se lembram das rosas, escrevem bilhetes e colam os lábios na pele. A mãe e as amigas falavam muito do futuro. *Mas... isso tem futuro? Achas que isso tem futuro? Olha que não me parece que isso tenha muito futuro.* Era a mania delas, a obsessão, o futuro. Os homens odiavam o futuro. Os homens tinham a obsessão do presente. Ela achava que era porque eles tinham medo da morte e o futuro para eles representava isso, a morte, o envelhecimento, a perda da força. Do poder.

O futuro. O que era uma coisa com futuro? Ela achava que era uma coisa com duração. O futuro, nas mãos fátuas dela, era apenas o que aguentava o suficiente para não morrer antes do tempo. O futuro era apenas o contrário de prematuro. Nada aguentava. As histórias acabavam todas por exaustão das partes interessadas, às vezes dela, muitas vezes deles. A partir dos quarenta anos as amigas deixaram de falar em futuro e a mãe morreu-lhe. No ano de dois mil e treze deu por si a pensar que não tinha muito futuro. Há dois anos que não tinha uma história, nem daquelas que fazem sofrer. Era solidão e circunstância. Às vezes sentia-se invisível. Às vezes, achava que era invisível. Sem filhos, sem marido, sem pais. Sem homem. A teia partira-se em volta dela, e ela ficara como o insecto aprisionado que até a aranha se esquece de comer. Um ignorado insecto à espera da morte.

O futuro não tinha sido bom para as mulheres. Os homens já podiam encomendar e comprar filhos à medida, crianças belas e louras de olhos de luz, concebidas por mães belas e pagas para isso e afastadas no minuto seguinte. A procriação, a continuação da espécie, deixara de ser uma qualidade feminina. Era agora uma qualidade dos ricos. Homens e mulheres singulares podiam ter os filhos por medida que quisessem, como fatos de alta costura, desde que tivessem dinheiro para isso. Os homens estavam cada vez mais desinteressados das mulheres, desde que a família deixara de constituir um núcleo de responsabilidade e união e os bebés passaram a ser um acessório de moda. A proporção de homens e mulheres era de treze para um, dizia a estatística. Treze mulheres para cada homem. A partir dos trinta e cinco anos as mulheres eram apenas força de trabalho. Ninguém as queria como mães nem como mulheres, as candidatas aos lugares excediam as vagas disponíveis. Treze para um. Um para treze.

Ela sempre tivera a mania de que o número treze lhe dava sorte. Por isso, naquele ano, recorreu ao que as amigas recorriam. O computador. O love online. Era o grande instrumento sexual. Havia chats para tudo. Metiam-se lá as características do pretendido, as próprias, uma foto retocada no photoshop, os códigos, e alguém havia de responder. Trocavam-se umas impressões e passava-se ao acto. Depois ligavam-se aos circuitos, telefones especiais, premiam-se os botões e teclas das sensações, o sensurround do sexo, e pela noite dentro (e pelo dia, dependia do tráfego) tudo era possível. Online. Com cartão de crédito. Era preciso construir quadro das sensações e praticar o onanismo olhando para o ecrã, onde aparecia a imagem (retocada) do outro. Ninguém perdia tempo no engate, nem se desperdiçava conversa. O vernáculo do sexo era utilizado para a excitação e mais nada. Nada de delicadezas. Nem de identidades. Não era preciso beber álcool para perder a vergonha e gastar dinheiro em restaurantes. Não era preciso comer sushi. Falar da infância. Presumir de culto. E a luz, no ecrã, era sempre favorável. Nada de pequenos-almoços penosos ao sol cru da manhã do dia seguinte. Nunca havia dia seguinte. Havia apenas parceiro seguinte. Era isto o futuro. A relação de futuro. Online. Treze para um. Sexo e amor por medida, como os filhos.

Ela experimentara vários, muitos, até ao dia em que encontrara o homem da vida dela. O homem da vida dela, como se dizia antigamente. Online. Ele, infelizmente, estava em Sidney. Um australiano, casado. Entediado. Tarado. Ela sabia tanto sobre ele, tarado, entediado, casado, porque tinham infringido a regra fundamental do love online. Tinham construído, sobre o sexo de ocasião, uma relação. Ou tinha ela, fora trabalho dela. Ela resolvera escrever a narrativa daquela relação. Resolvera construir-se a ela. Uma identidade novinha em folha. Com lentidão sabida, fora-se desvendando enquanto desvendava os fantasmas dele e o estudava. Inteligente como era percebera logo what made him tick. Kick. Como ele dizia. Fazia-lhe lembrar uma canção muito antiga, I get no kick from champagne, mere alcohol doesn't move me at all. I get a kick out of you, de um tal Sinatra. Ela perdera toda a vergonha online e resolvera com a mão do photoshop desenhar uma personagem destinada a enlouquecê-lo. A figura dela que aparecia no ecrã da Austrália era o fantasma dele, não era ela. A narrativa continuara com a acumulação de truques e mentiras. De palavras. O que ela adivinhava que ele gostava ela dava. E inventava. Ele acabara por escolhê-la só a ela como parceira online. A fidelidade do futuro. O sexo chegara a ser diário e mais de uma vez por dia. Conheciam-se, agora, que a narrativa estava completa, perfeitamente. Um verdadeiro romance do passado. Ela acabara por saber o nome dele, e dera para a personagem dela um nome falso que ela imaginava que lhe agradava a ele. Eram, enfim, um casal.

A coisa durou meses, explorada de todos os ângulos. O sexo era ideal, sem explicações, sem ansiedades. Sem remates psicológicos. Ela apaixonou-se, como antigamente, romanticamente. Ele também. Uma noite, exaustos, exaustos das descrições mútuas através das quais construíam a tensão sexual, exaustos das provocações e sensações, das teclas e botões, languidamente, decidiram encontrar-se. Em Lisboa. Ele era médico e viria à Europa a um congresso. Seria em Lisboa. Ela teve medo. A sua figura não era a da mulher retocada. Em compensação, esquecendo-se que podia ser o mesmo do outro lado, achava que ele era igualzinho ao homem perfeito do computador. Esquecera-se de que a realidade virtual não era real.

Resolveu marcar o encontro num hotel da cidade, no bar, que era amplo e de luz difusa. À última hora, com o medo resolveu disfarçar-se. Iria ao hotel para vê-lo em carne e osso e não se denunciaria. Com uma cabeleira, passava. Se não se sentisse com forças, não se aproximaria. Só queria vê-lo. Foi, esperou, num canto, discreta, ele não apareceu. O bar estava meio deserto e noutro canto só outra mulher olhava na direcção dela. Uma mulher feia, desagradável, atamancada. Onde se metera o doutor di Paolo, o nome dele? Um criado limpava os copos de cristal, e os candeeiros entornavam uma luz de morgue. A vista para o Tejo, das janelas, parecia artificial, uma pintura de parede, esmaecida do nevoeiro do dia. Não era o que ela tinha imaginado. E ela que tinha marcado aquilo para a data treze, à hora treze, do ano treze, porque achava que era o seu número da sorte. O amor da vida dela.

A outra mulher levantou-se e caminhou para ela. Sentou-se na poltrona, encarou-a e disse, em inglês, eu sou o dr. di Paolo. I am sorry. Descoberta. Fora descoberta. E descobrira. Tinha estado apaixonada por um homem e aparecia-lhe aquela mulher pior do que ela, esquálida, feia, disforme, máscula. Nem cabelo louro, nem maxilar em ângulo recto, nem virilidade, nem mãos de veludo. Uma mulher pior do que ela. Terminada.

Como é que você?...

Photoshop. Retoques. Cosmética cibernética. Tinha corpo de homem, e no DVD tinha parecido um homem. Como aparelho sexual usara um simulacro, desses que se compram por mail. Tudo se podia inventar na realidade virtual, tudo o que não fosse em carne e osso se podia construir e desenhar. Ela percebeu que construíra a narrativa, a outra construíra um corpo.

Levantou-se e saiu a correr do bar, aterrorizada. Estivera apaixonada por Frankenstein. Versão 2013 da Microsoft.

A tremer, chegou a casa e encostou-se à parede. Despiu o casaco. Descalçou os sapatos com cuidado como se fossem de cristal.

E sentou-se a chorar. Queria morrer. Estava farta do futuro.

STRADA NUOVA

Eles entravam e saíam do hotel sempre à mesma hora. O velho à frente, de gabardina e lenço de seda adamascada, combinação rara num homem tão minucioso. Levava uma mão no bolso da gabardina e com a outra parecia sentir o ar como um cego aos apalpões, hesitando. Ela vinha logo atrás, ligeira e vacilante, com um casaco de pele que lhe chegava aos pés e uns sapatos de salto alto. O casaco era de outra mulher, uma mulher mais velha. Ela deveria ter uns trinta anos e a beleza que ainda não se deixou apanhar pelo tempo. Em breve, o rosto liso seria papel de seda amachucado mas o tempo estava atrasado, ainda não chegara o encontro com a velhice. Por isso, o par era tão pouco um casal. Eram dois espécimes do museu de história natural, a natural história do homem mais velho com a mulher mais nova. À porta do hotel paravam, ele uma coruja de óculos de lentes grossas, ela com os olhos lavados pela luz da laguna. Depois, ela olhava para trás e dava de olhos comigo, todos os dias a todas as horas, um hábito. Saíam de manhã, às dez horas, regressavam às duas horas, voltavam a sair às cinco e a entrar às dez da noite. Nunca falavam. A beleza dela fazia os hóspedes do hotel levantar a cabeça das mesas, da paisagem veneziana, dos livros, da comida a escaldar, dos copos com gelo.

Eu sabia estas coisas porque estava sempre ali, sem me mexer, sentado na sala de espera, quieto como um animal escondido, a contemplar as pessoas e o inverno com o meu Campari nas mãos. Com os anos fui reduzindo as minhas necessidades e Veneza é o meu luxo, o meu encontro amoroso, a minha fuga. Desde que me divorciei e me retirei, resolvi que tinha o dinheiro suficiente para deixar de fingir que gostava de trabalhar. Fui um diplomata viajado e culto, daqueles que estão sempre passados a ferro e que carregam a função como uma herança da família, uma jóia que não se pode vender. A minha mulher e eu éramos anfitriões perfeitos, recebíamos com a suavidade dos actores treinados e sorríamos a compasso. Nunca tive ambição política nem fiz carreira. Ela detestava-me e bebia de mais, eu era um homossexual frustrado. Banal, sem ser vulgar. Quando me retirei comecei a pintar aguarelas, e a ter aventuras sem ser às escuras. Ela foi embora. Nunca mais nos vimos. E venho para Veneza todos os invernos, prosseguindo a minha banal representação de Gustav von

Aschenbach, embora me sinta mais vivo do que nunca.
Não tenho intenção de morrer em Veneza e vou ficando
à espera do meu Tadzio, parado aos cantos, correndo a
cidade de noite e à hora em que gosto de lhe ouvir os
murmúrios. A noite em Veneza é agreste e bruta, e o
vento que sopra do mar corta-me a pele da cara, põe-me
os lábios a sangrar. Piso a Strada Nuova, entro no ghetto
e sento-me num mármore a sentir o frio, a pureza do
frio, sem manchas, sem mentiras. O frio sacode-me o
torpor de anos de África, onde nasci e onde vivi. Sempre
tive saudades do inverno, do deserto de Dezembro, da
desolação de Janeiro. O resto do dia fico pelo hotel aquecido, a observar e a coleccionar cadernos de notas como
estas, para memória futura. As pessoas são a minha paixão, a sua indiferença, a sua diversidade. A sua infelicidade. Talvez por ter sido tantos anos infeliz, farejo a
infelicidade à distância, como um lobo nocturno. Ando
à caça. É por isso que reparo no casal, na insolência dele,
na mágoa dela. E na beleza dela, como se Tadzio fosse
uma mulher de trinta anos. O tempo e a usura comerão
as nossas caras, como a água que espera engolir Veneza
demore os séculos que demorar, e que espera por baixo
das ruas, por baixo dos palácios e das igrejas, por baixo
dos poços e das estátuas, das pontes e das gôndolas.
A água que espera e que suspira em Veneza, roendo
a madeira e a pedra, atando-as com limos para as torturar
mais tarde. O tempo tudo pode e um dia chegará a
minha vez, e a vez dela. Ciao bella. Uma tarde, entraram
os dois e a seguir ela desceu sozinha, afogueada. Sentou-
-se perto de mim nos cadeirões e chamou um criado.

Acendeu um cigarro. Eu levantei-me de fósforo e mão estendida, ainda e sempre na minha infinita banalidade, repetindo os gestos de alguém, um actor de cinema, um herói romanesco. Sou, como todos os humanos, uma imitação de espécimes superiores, desumanos. Raspei o fósforo e por um segundo a luz iluminou-nos aos dois, como se partilhássemos um segredo. Ela soprou, agradeceu e disse

você está sempre aqui

num inglês de colégio suíço. Sou português, respondi. Os portugueses deixaram de viajar há séculos, agora fazem parte de qualquer coisa, e estão imobilizados. Eu faço parte deste hotel, deste inverno, um dia farei parte desta cidade, se me imobilizar o tempo suficiente. Temos de aprender com a água, a esperar. Ela olhou-me como se me visse

que interessante, que interessante.

O velho era o padrasto. Vinham todos os anos nesta altura do ano, data da morte da mãe. Como já não era diplomata, perguntei, amantes? Ela não se sobressaltou e com a naturalidade do pecador repetente disse

Amantes. Eu tenho-lhe ódio. Sempre o odiei. Mas é ele que tem o dinheiro e tenho ficado a viver uma vida de empréstimo.

É um empréstimo a juro alto, você é muito bonita. E acendi um charuto fora de horas. Eram quatro da tarde e lá fora a breve luz do sol salpicava a cidade de pingos de mel que coloriam a palidez do mundo. As pessoas entravam nas pinturas de Giovanni Bellini. Ela suspirou como uma prisioneira.

Um destes dias, mato-me eu, ou mato-o a ele, um de nós. Gostava de atirá-lo para dentro de um poço. Afogá-lo. Dentro de água.

Eu soprei o fumo e respondi. Deixe tudo e vá embora. Deixe a bagagem, o casaco de peles

Era da mãe.

Deixe tudo e vá a pé, pela Strada Nuova. Até à estação. Apanhe um comboio para Roma, ou Florença. E nunca mais olhe para trás. Vita Nuova. Não espere. Só a água consegue esperar porque nunca envelhece. E a água mata sem cúmplices. Sorriu. Levantou-se e subiu a escadaria do hotel. À tarde, desceram os dois e ela vinha à frente. Não olhava para trás. Nunca mais olhou para mim.

O SONHO

Ela sentou-se na cadeira e disse

– Tive um sonho, esta noite. Um sonho só com homens. O primeiro era o meu pai, que estava a discutir com a minha mãe. Parecia outra vez a minha infância. A minha mãe pedia ao meu pai para não sair de casa e para ficar e ele ameaçava que se ia embora. Ela agarrava-o e ele despegava-se. Ela implorava e ele negava-se. Depois eu avançava para ele e dizia-lhe para se decidir, ali e já. Ou ia, e nunca mais voltava, ou ficava e nunca mais saía. Ele olhava para mim com medo e eu controlava-o através desse medo. Ficou sem saber o que fazer, durante muito tempo, e depois fui eu que o obriguei a sair. Expulsei-o de casa. O que a minha mãe nunca teve coragem de fazer. Ele foi. Não o deixei olhar para trás.

A seguir, sem se mexer na cadeira, imobilizada pelas palavras, ela continuou

— Depois era o meu marido, ex-marido, para dizer a verdade. Ele não sabia escolher, havia duas mulheres, eu e a outra. Por um lado ele queria-me a mim, porque era mulher dele e ele tinha medo das consequências, de perder os filhos, de sair de casa. Por outro lado, queria a outra, porque estava apaixonado embora desconfiasse daquela paixão. Passava as noites em claro, a tentar decidir. Isto na vida, na minha vida. No meu sonho desta noite, era eu que decidia por ele, era eu que mandava. Pu-lo fora, violentamente. Roupa pela janela, malas a voar, porta escancarada. E tudo isto sem um grito, uma lágrima, um gemido, um pedido. Tudo em silêncio, a frio. Exactamente o contrário do que aconteceu há anos, quando ele me quis deixar. Quando chorei, gemi, usei os filhos contra ele a meu favor. Ficámos juntos mais uns anos, até ao divórcio. E tantas vezes desejei que ele se tivesse ido embora. Tinha sido melhor. Desta vez, no sonho, senti-me bem, como não me sentia há anos, desde a morte do meu pai. Eu detestava o meu pai.

Agora ela mexeu uma mão, acariciou a face, puxou uns fios de cabelo. Suspirou de leve

— E no sonho, a seguir, era o meu filho. O meu único rapaz. O meu preferido, nunca gostei de ter raparigas. O mundo não gosta de raparigas. No sonho, o meu filho regressava a casa. Era como se nunca tivesse saído. No dia em que ele morreu, lembro-me de que andava inquieta desde manhã, ia à janela, as coisas caíam-me das mãos. Instinto de mãe. Quando eram onze da noite e ele ainda não tinha regressado soube logo que qualquer coisa tinha acontecido. Quando o telefone tocou, antes de me falarem no desastre e no carro desfeito eu já sabia a verdade. Sabia que ele tinha saído de manhã com os amigos e que nunca mais voltaria. Desde esse dia tenho estado como morta, você sabe bem, como morta. Nunca perdoei ao meu marido, quis o divórcio, mas ele não teve culpa, ninguém teve culpa. O horror não tem culpados.

Ela sorriu, pela primeira vez em vinte anos

— Você conhece estas histórias, você sabe bem como elas nunca tinham fim. Até esta noite. Esta noite tive um sonho e senti-me bem ao acordar. Expulsei quem devia, fiquei com o meu filho. Vi-o como ele seria hoje, com 38 anos, e não como era quando morreu, um rapaz. Vi um homem, bonito. Como ele seria. Acha que preciso de cá voltar? Acho que nunca mais cá volto.

Ela levantou-se da cadeira, devagarinho. E saiu do consultório.

VIRA O DISCO
E TOCA O MESMO

Um homem está sentado numa cadeira, no meio do palco.
À frente dele, uma mulher de pé. Está rodeada por duas
cadeiras, uma de cada lado dele. Está em frente dele, a olhar
para ele. Em cima de uma cadeira está uma cabeleira loira.
A outra está vazia.

A mulher senta-se na cadeira vazia

O divórcio? É isso?
Tudo por causa da amiga. Da amante.
Essa mulher é lixo, não tem dignidade. Não se vê ao
espelho.

É refugo.
Ao fim de treze anos.
A ouvir-te ressonar. A ver-te esfregar a barba ao espe-
lho. A passar-te a pasta de dentes.
Não sirvo?
A limpar a água que deixas na casa de banho.
Não sirvo?
Treze anos e deixei de prestar.
Sou um carro velho. Um carro a prestações.
Devias trocar de mulher de quatro em quatro anos.
Como trocas de carro.
Queres trocar-me? Troca antes de amante.
Descarta-te dela.
Em vez de me encornares.

A mulher levanta-se, tira a cabeleira e senta-se na outra
cadeira

O divórcio, é isso.
Quem é que tu pensas que eu sou?
A tua amante? A tua amiga?
Que pensa a tua mulher? Que a andas a encornar
comigo?
Para isso não sirvo.
Não quero envelhecer à espera de ti.
Não posso ser tratada como lixo. Refugo.
É a minha dignidade ao espelho. Tenho que me ver ao
espelho todas as manhãs.
Isto não pode continuar.
Eu aqui, ela lá, a legítima. A tua mulher.

Que é que ela pensa?
Que tu podes trocar-me?
Como quem troca de carro? Ou de estofos?
Sou um pneu sobresselente?
Uma coisa para meteres no porta-luvas?
Não sou uma puta.

A mulher tira a cabeleira, levanta-se e senta-se na outra cadeira

Essa puta.
Deve ser no carro que tu te exibes para a tua amiga.
Olhem como estou bem conservado.
É preciso estofo!
Apanhei os cigarros dela no porta-luvas.
O maço de Marlboro da puta.
Vens de carrinho
Pede o divórcio e faço-te a vida negra. Vou atrás do último tostão.
Treze anos a preparar-te o farnel.
Para tu ires de piquenique com outra.
Treze anos a estrelar-te os ovos. Porque não sabes estrelar um ovo.
Treze anos de bifes malpassados. A carne é rija.
Tens de mudar de talho.
E eu pela cidade à procura de carne tenra. Para o marido.
E tu pela cidade à procura da carne tenra. De mulher.
Treze anos a descascar-te a laranja.
Não gostavas do cheiro da laranja nos dedos.
Como os meus já cheiravam a cebola. Descasca tu.

A sopeira.
Treze anos as tirar os cabelos da banheira.
Vês a falta. As entradas. Coroa de padre num pecador.
E quem recolhe os restos? Eu.
A tua mulher. Pela Santíssima Madre Igreja.
Treze anos. A aturar-te. E tu chegas a cheirar a outra mulher.
Que sacrifício.
Pior que ir a pé a Fátima. No 13 de Maio.
Enquanto te exibes com a outra.
Não aguento mais.

A mulher levanta-se, põe a cabeleira e senta-se na outra cadeira

Não aguento mais.
Não sei como a consegues aguentar.
Treze anos. Sem amor.
Que sacrifício.
É pior que ir a Fátima a pé. No 13 de Maio.
Um piquenique sem farnel. O vosso casamento.
Tens de te divorciar.
Não interessa a Santa Madre Igreja.
Católico ou não.
Não és nenhum padre. Nem monge. Não usas coroa.
Quero exibir-me contigo.
O homem da minha vida.
Ela faz-te a vida negra. Só quer que a sustentes.
Vai atrás do último tostão.
Aposto que cheira a cebola.

É uma sopeira.

Os meus dedos cheiram a laranja. Cheira.

O teu cabelo, as tuas mãos. O teu cabelo.

Os teus dentes. Apetece-me ser a tua pasta de dentes.

E sabes cozinhar.

Em minha casa, ao jantar, compraste os bifes do lombo.

Correste a cidade à procura de um talho. Carne tenra.

E estrelaste o ovo.

Perguntaste se queria a gema fofa. Ou bem cozida.

Quero acordar ao teu lado.

Não quero que voltes para casa.

Depois de teres tomado banho, a água por todos os lados.

Tudo molhado.

E eu a apanhar os teus cabelos.

Na banheira.

Guardei-os. Como uma relíquia.

Uma parte de ti.

Tomas sempre banho para não ires a cheirar a mim.

Se ficas com ela eu acabo.

Não aguento mais.

Ver-te regressar de noite à cama dela.

Deixar a minha cama. Quente.

Quero dormir ao teu lado sem ficar amargurada.

Quero ouvir-te ressonar.

Quero o teu sexo.

Quero ser a tua mulher.

A mulher levanta-se, tira a cabeleira e senta-se na outra cadeira

A tua mulher sou eu.
Já não sou nova.
Mas sou a legítima. A da lei.
Não tenho sexo mas tenho o título.
Para te veres livre de mim tens de amargar.
É na minha cama que te deitas a dormir.
Faço-te a cama, juro que faço.
E aqueço-ta. No inferno.
que é que queres dela? O sexo?
É o sexo.
Isso não chega. E eu chego para ti.
Não chego? Quando nos casámos chegava.
O que é que mudou? Envelheci.
Tenho barriga. Uns quilos a mais. Os filhos dão cabo
das mulheres.
O que é que esperas? Casar com ela e teres filhos dela.
Daqui a uns anos ela está igual a mim.
O mesmo cansaço.
Se pensas que com ela vai ser diferente.
Uns anos e fica igual.
Ficas logo farto. A mim já me conheces.
Sou a tua mulher. A outra que espera.
Amor não existe. Ou deixa de existir.
Ao primeiro leite, vai-se. É isso a maternidade.
Tu não sabes o que é o amor. És um egoísta.
Não queres mais filhos.
Vai dormir com o miúdo para o outro quarto que eu
preciso de dormir.
Tenho de trabalhar amanhã de manhã.
Eu ia. Para o outro quarto.

Nunca lhes mudaste a fralda.
Quem os criou fui eu.
À custa do meu sono. À custa do meu corpo.
Não havia eu de engordar.

A mulher levanta-se, põe a cabeleira loira e senta-se na outra
cadeira

Embalar um filho teu.
Ter um filho teu. Casar contigo.
Quero ser a tua mulher. A legítima, a da lei.
Tenho direito ao título.
Essa mulher nunca te amou. Talvez, no princípio.
Com os filhos, deixou de gostar de ti.
Os filhos, só os filhos, dia e noite.
Como se carregasse os filhos do mundo.
Aproveitou logo para deixar de trabalhar.
É um cansaço.
Ficaste farto.
Está na altura de teres outro filho. Mudar a fralda.
Dar o leite.
Vais ver que vais adorar.
Um filho para criar. A dormir no nosso quarto.
Vais adorar.
Os filhos são o amor. A prova do amor.
Com um filho vou sentir-me mais mulher.
O desejo sexual aumenta.
É isso a maternidade. Penso nisso dia e noite.
Aposto que o meu corpo vai ficar mais bonito, maior.
Do tamanho do mundo.

Não posso engordar.
E vou deixar de fumar.

A mulher levanta-se, tira a cabeleira e senta-se na outra cadeira

Amanhã entro em dieta.
Vou perder os quilos. Vais voltar a gostar de mim.
Como dantes. Eu ainda te amo.
Faz o que quiseres. Não te vás embora.
Não me abandones. Não saias de casa.
O que vou fazer? Ainda te amo.
Vou aprender a viver sem ti?
Foste o primeiro homem que conheci.
O único homem.
Já nem se usa. Vivi para ti. Ainda vivo.
Os filhos crescem.
A educação católica. Os pais. A vergonha. O pecado.
Sei lá. Fui a tua mulher e fui a tua mãe.
Ser virgem. É pecado?
Eras o homem certo.
Arranjo um emprego? Cuidar de mim?
Depois de cuidar de ti?
Onde começo? Sem ti acabo.
Acabo comigo. Acabo comigo e depois acabo contigo.
Não.
Acabo contigo.
E depois acabo comigo.

A mulher levanta-se, põe a cabeleira loira e senta-se na outra cadeira

Acabar contigo? Não consigo.

E não consegues acabar comigo.

Isto ainda acaba com os dois.

Eu não aprendo a viver sem ti.

Tens de sair de casa.

Tenho o meu emprego.

Sabes que deixava tudo por ti.

Para cuidar de ti.

És o homem da minha vida. Ninguém te ama assim.

És o homem certo.

Dormi com tantos homens. E é como se fosses o primeiro.

Faz o que quiseres.

Não te vás embora. Não me deixes.

Não me abandones.

Fui sempre eu a deixar os homens. Pouco católica.

Uma sem-vergonha.

Tu gostas de mim assim. Puta.

Para mãe tens a tua mulher.

Eu fazia o que queria. Cheirava a pecado.

Sei lá. Os meus pais falavam em pecado.

A educação católica.

És tu que não sabes o que queres. Quem queres.

Tens duas mulheres.

Vais ter de escolher.

Ela ou eu.

A mulher levanta-se, tira a cabeleira e senta-se na outra cadeira

Ela ou eu.
Vais ter de escolher.

Tens de saber o que queres.
Não podes ter duas mulheres.
Como é ela? Loira?
Tinhas cabelos loiros no fato.
Ando a revistar-te os fatos.
Como se fosse uma sopeira.
À cata do adultério.
Que palavra, adultério.
Isso não é a sério.
Sexo roubado.
Como é ela na cama?
Boa? Igual? Pior?
É um mistério.
Nunca dizes nada. Esse teu silêncio...
Nunca mais fizemos amor.
Como é que se pode fazer o que não se tem?
Que palavra, amor.
Vamos fazer amor. Mesmo sem amor.
Meu amor.

A mulher levanta-se, põe a cabeleira loira e senta-se na outra
cadeira

Meu amor. Como é ela?
Bonita? Feia.
E na cama? Quando havia cama. Não há, dizes.
Nunca dizes nada. Esse teu silêncio...
Morena. Quis revistar-te os bolsos do casaco. Saber se
tinhas fotografias. Dela. Na carteira. Como se eu fosse
uma sopeira.

Não podes ter duas mulheres.

Tens de saber o que queres.

Adultério. Não que eu me importe. Não gosto da palavra.

É a sério, nós os dois.

É um mistério.

Ela é uma virgem. Sabe o que tu lhe ensinaste.

O sexo roubado.

Apetece-me fazer amor.

Fazer o que sabemos fazer melhor.

Amor.

É tudo o que temos.

A mulher levanta-se, tira a cabeleira e fica de pé do lado da outra cadeira, sem se sentar na cadeira, a gritar com o homem, que está impassível

Dormiste comigo.

E foste dormir com ela?

A tua amante?

Depois de teres dormido comigo?

Canalha. Patife. Sacana.

Como é que pudeste?

Pensar que tínhamos voltado ao que éramos dantes.

Voltaste para a tua amante.

Pensar que tinhas ficado comigo.

Que me tinhas escolhido.

Saltas de uma cama para a outra.

Passas uma noite comigo. Outra com ela.

Confessaste.

Apanhei-te.

Apanha-se mais depressa um mentiroso do que um coxo.
Acabou-se.
Foda-se!
Eu que nunca digo palavrões. Grande ordinário.
Foda-se!
Podes ficar com ela.
Dorme com ela.
Fode com ela. Foda-se!
Sai.
Vai. Acabou.
Vai-te foder!
Sozinho!

A mulher vai para a outra cadeira, põe a cabeleira, fica de pé a gritar em frente ao homem, que está impassível

Vai-te foder!
Dormiste com ela?
A tua mulher?
Voltaste a dormir com ela?
E foste capaz. Como é que pudeste?
Canalha. Patife. Sacana.
Pensar que tudo estava como dantes.
Como quando éramos amantes.
Voltaste para a tua mulher.
Pensar que tinhas ficado comigo. Que me tinhas escolhido.
Saltas de uma cama para a outra.
Confessaste.
Apanhei-te.

Apanha-se mais depressa um mentiroso do que um coxo.
Acabou-se.
Foda-se.
Só me apetece dizer palavrões. Iguais os que me pedes.
Na cama.
Grande ordinário.
Foda-se!
Podes ficar com ela.
Dorme com ela.
Fode com ela.
Foda-se!
Sai.
Vai. Acabou.
Vai-te foder!
Sozinho!

Impassível, o homem levanta-se da cadeira e sai. A mulher fica imóvel. Ao meio das cadeiras. De pé. Imóvel.

SAUDADES DE MIM

O homem olhou para mim com os olhos muito abertos e disse: *«o meu nome é Marco. Agora sabe quem eu sou
e por que estou aqui»*. E ficou à espera.

Eu olhei para ele com os olhos muito franzidos e
encolhi os ombros. Marco? Desculpe, como é que posso
saber quem é você?

O meu nome é Marco, repetiu ele, enquanto coçava
e recoçava o queixo e a barba num movimento obsessivo,
compulsivo, mostrando um teclado de dentes amarelos
ao repuxar a pele. Era um movimento curto, furtivo e
sincopado, o gesto dos psicóticos. Ou dos neuróticos.
Eu disse não percebo nada, não sou psiquiatra. Marco?
Quem é o Marco?

Tinha ido ao hospital para almoçar com um amigo meu, médico.

«Eh pá, aparece, eu estou cá toda a manhã, depois vamos a um restaurante aqui perto, já agora ficas a conhecer o hospício da humanidade mais definhada que existe. Podes até passear pelas enfermarias à vontade se eu não tiver acabado a consulta. Aproveitas e confraternizas com o pessoal maluco, tudo gente de primeira água, é com eles que passo os dias. Ganhei-lhes carinho. Andam por estes pavilhões uns espécimes interessantes, dos quais o mundo se esqueceu e a família nunca se lembrou, a arrastar os pés pelos corredores e a babar-se pelas celas. Não fazem mal a ninguém, são uns pobres coitados, adoram encontrar companhia e conversar com estranhos que são ouvintes ideais.»

O meu amigo é um psiquiatra meio doido como todos os psiquiatras, um homem que tem o gosto da hipérbole e que lê tudo o que apanha à mão, que se fecha em casa horas a fio a ouvir Bach com uma partitura – «esta Chaconne mata, morro de insignificância quando a música me entra pelo coração dentro» – e que nunca casou. É rico e não precisa de trabalhar no hospital, onde é director de clínica. Escolheu a convivência com as patologias mentais porque lhe parece uma actividade mais sã do que com a convivência com o resto da humanidade, supostamente de boa saúde.

«Eh pá, os doidos são os que têm mais juízo, são os lúcidos. Alguns deles até parece que viram a face de Deus e ficaram cegos, alguns deles são geniais. Os meus esquizofrénicos ainda conseguem surpreender-me.» Diz isto com uma gargalhada e sabe-se que é um médico compassivo, dedicado, cativo dos doentes e capaz de lhes aturar a infinita fixação num ponto inexistente do horizonte.

Cheguei ao hospital ao meio-dia, com a antecipação com que se chega aos lugares onde nunca se entrou. Passei os portões de ferrugem e perguntei na portaria pelo senhor doutor. Veio um enfermeiro, vergado de amabilidade, que me disse para esperar numa salinha, o senhor doutor já vinha ter comigo. Ao cabo de cinco minutos, levantei-me do cadeirão decrépito, a decrepitude de todo o hospital, e comecei o meu passeio. Os corredores eram geométricos e esverdeados, cor de doença e de pobreza, com um chão empedrado de quadrados amarelos e roídos pelo tempo onde os meus passos faziam eco, como se a minha sombra calçasse sapatos. Pairava na desolação um cheiro enjoativo a lixívia, a éter, a dejectos, a flores mortas e água apodrecida. Um cheiro a sofrimento e calor humano, a peles amachucadas, corpos suados e molhados de urina. Se Auschwitz tivesse tido um cheiro mais forte do que o cheiro dos crematórios seria o cheiro dos hospitais públicos. Este cheiro.

O hospital era dos séculos passados, e a falência dos sistemas de saúde pública no ano 2010 decretara a morte daquela gente, devagarinho. Só iam para os hospitais públicos os muito pobres, os muito loucos, os muito abandonados, os demasiado tresmalhados.

Os que não tinham seguros de saúde, fundos privados, patrões obrigados. Quarenta anos passados sobre o ano 2000 estávamos assim, como no século XIX, como nos asilos vitorianos. O meu amigo presta serviço no hospital por compaixão e por devoção, e porque lhe interessa o fracasso da comédia humana. Diz ele que o homem é uma espécie em vias de extinção, e não vejo aqui nenhuma hipérbole.

A clínica privada era o destino da larga maioria dos médicos, unidos em lucrativas empresas de prestação de serviços de saúde. A falência da Segurança Social atirara os desprotegidos para lugares como aquele, e atirara a matar sobre os doentes sem orçamento e os velhos sem atendimento. Eu nascera em 2000, já o mundo tinha dado duas voltas, e assistira na minha adolescência ao que os politólogos e parentes afins chamaram a morte do Estado-Providência. Foram anos de convulsões sociais e depois, tudo amainou. Nunca tive o privilégio de conhecer o dito Estado-Providência.

Deixem que me apresente antes de vos apresentar o Marco. O meu nome é Mateus, como o apóstolo da Paixão, exactamente. O meu amigo diz que a Paixão de Bach é o derradeiro vestígio da existência de Deus, gostaria de mim só por causa do meu nome, e chama-me São Mateus quando está bem-disposto. O santo é ele, eu sou só um engenheiro informático muito bem pago.

Ao fundo de um corredor, com as narinas empestadas pelo fedor das enfermarias e a precisar de ar fresco, saí para o jardim, mais um matagal do que um jardim, uma zona circular com um lago de pedra ao meio, uma fonte ressequida e a pedra rachada pelas quatro estações. O lugar estava deserto, sombrio, um daqueles lugares onde o sol nunca bate com medo de alumiar a realidade. Em volta do círculo estavam portas, portas fechadas a cadeado e com grades na parte superior. Eram umas seis celas, verdadeiras celas, o meu amigo tinha razão. Aquilo parecia uma prisão.

«É onde metem os perigosos, os catatónicos, os suicidas, os assassinos. De vez em quando têm soltura mas estão tão habituados ao negrume que quando os deixam na luz assustam-se e querem voltar para o catre. Foram neutralizados e já não fazem mal a ninguém. Temos aí um que matou a mulher, outro que matou a mulher e os filhos depois de ficar desempregado, outro que matou a mãe, outro que matou a mulher e o amante da mulher, que era também, ao que parece, o amante dele. Enfim, Mateus, ninguém sabe o que lhes há-de fazer. Um suicida, ali, é sempre bem-vindo. Eu acho que os devíamos ajudar a suicidar-se, a vida noutro mundo é decerto mais suave do que neste. Anda pela terra sem Deus muita crueldade.» Assim suspirara o meu amigo, que me avisara da situação antes da prometida visita ao hospital.

Do fundo do jardim, atrás de uma mancha de flores selvagens, apareceu ele. Um homem de uns 60 anos, magro de secura, com o olho fosco e o cabelo salpicado de sal, uma melena rala e sem viço. Devia ter sido forte, entroncado, o peito fazia uma cova do esforço da respiração, e a pele era de uma palidez despigmentada, consequência da falta de luz solar. As pessoas também têm a sua função clorofilina. Tinha uns olhos castanhos, redondos de malícia e exaustos, e as mãos encarquilhavam na ponta dos dedos, como se tivessem de agarrar depressa qualquer coisa.

Olhou para mim com os olhos muito abertos e disse: *«o meu nome é Marco. Percebe? Marco».*

Começámos a conversar, eu não lhe disse que não sabia quem ele era, ele não perguntou quem era eu. A fala dos loucos prescinde de considerações, pontos prévios, é linear, com links inesperados e acessos rápidos e directos. A fala dos loucos faz-me lembrar, na sua brevidade e nexos de causalidade, a fala lógica e sem sentido dos computadores e da Net. A linguagem do século XXI.

Eu disse conversa e não era uma conversa, era um monólogo. Marco falou, em tom monocórdico, como se contasse contos conhecidos, numa voz engomada.

«Marco. Lembra-se de certeza. Num dia eu era ninguém, no dia seguinte era tudo. Quando saí de lá, da Casa, era tudo para todos. Era o homem mais famoso do país. Eu só tinha 20 anos. Percebe? Como é que eu podia saber? Concorri ao concurso, diziam-me que ganhava uma fortuna se conseguisse chegar ao fim. A ideia era fecharem-nos numa casa, todos juntos, um grupo de homens e mulheres, e ver o que acontecia. Davam-nos comida e mais nada. Como animais na jaula do jardim zoológico. Não sabíamos nada do que se passava no mundo. Uma cela, como estas daqui, percebe? Aquilo parecia uma prisão. Éramos filmados por câmaras de televisão o dia todo, no banho, na cama, e a malta cá de fora entretinha-se a ver-nos. Nós lá dentro íamos dando em tarados, todos os dias as mesmas caras, as mesmas coisas para fazer. Eu gostava de artes marciais e pensava que me aguentava sem explodir, mas ao correr das semanas passei-me da cabeça e dei uma tareia numa das raparigas, uma de que eu não gostava. Tinha-me enrolado com outra, uma das que estavam à nossa disposição, uma morenaça, e ia com ela para a cama, mas quando

a coisa começou a aquecer expulsaram-me da casa, por
causa da tareia na outra. Tive de deixar a miúda para trás
e voltar para a realidade. A minha realidade, antes da
entrada na Casa, era normal. Não tinha emprego, não que-
ria estudar, não me apetecia trabalhar, o futuro era esqui-
sito. Precisava de massa e de umas ideias, e ainda por cima
tinha de aturar os meus pais, que não topavam o meu estilo
de vida. E havia as miúdas, as motas, os amigalhaços e as
noitadas. Era jovem. Entrei na casa assim, sem grandes
esperanças de sacar uma miúda e as notas de mil, queria
sacar pelo menos umas delas. Quando os tipos cá de fora me
expulsaram, aquilo era mandado por uns espanhóis, saí.
Disseram para eu me mostrar arrependido. Estava tudo à
minha espera, e fui à televisão. Apareci no telejornal e tudo,
antes do primeiro-ministro e dos políticos todos e dos gajos
importantes da altura. Foi então que o circo começou. De
repente, eu era mais famoso do que todos, eu era o tipo mais
famoso de Portugal. Marco para aqui, Marco para ali,
tinha convites para tudo, entrevistas nos jornais, nas revis-
tas, propostas de casamento, propostas de empregos, cartas
de admiradores, miúdas a dar com um pau, amigos de todas
as partes que eu nunca vira mais gordos, fotografias, carta-
zes, capas. Andava na rua e via a minha cara em todo o
lado, nas bancas, nos placards, nas montras. Era como se
houvesse outro Marco, eu e o herói. O Marco era outro.
Parece que eu ter dado porrada na miúda e ter-me logo
arrependido ainda me tinha tornado mais famoso e simpá-
tico, vá lá a gente perceber o mundo. Fizemos as pazes,
a miúda e eu, e andávamos por todo o lado como um casal
de palhaços, a fingir que nos gramávamos muito. Eu não a

chupava, ela tinha cara de cavalo, e a outra tinha ficado dentro da Casa. Eu, eu tinha de cumprir o programa que me mandavam, estar presente quando me chamavam. Eles, os do concurso e da televisão, diziam-me que se eu me portasse bem ganhava dinheiro para o resto da vida. Uma outra televisão ofereceu-me um programa só para mim de muitos milhares de contos, e disseram que me queriam e à miúda da Casa para fazer um filme. A miúda que eu gramava. Queriam que eu me casasse com ela quando ela saísse, e até diziam que ela estava grávida. Corri o país de lés a lés e quando voltei à minha terra, era o máximo, era o herói local. Doía-me a mão de dar autógrafos. A outra lá acabou por sair da Casa e então, cá fora, foi o fim. Juntaram-nos à força. Casa, não casa, toma lá o cheque, casa nem que seja a fingir que isto é boa televisão e o povo adora. As câmaras continuavam a seguir-nos por todo o lado, tudo o que fazíamos era filmado, fotografado, e nunca podíamos estar sós. Tínhamos que obedecer aos que mandavam naquilo, eles é que nos diziam como era, como devia ser. Casámos. O país chorou, as mulheres ficaram histéricas. A família bateu palmas. Durante uns anos, dois ou três, aguentámonos, com o dinheiro que tínhamos ganho. O pior foi quando apareceram outros, outro Marco, outro herói, outra gaja gira. De um dia para o outro passámos de ser o casal mais conhecido de Portugal a ser lixo. Começámos a dever dinheiro. Não tínhamos emprego, o nosso emprego era fazer o número do casal de namorados, ninguém queria o casal de namorados. O meu programa de televisão acabou, deixou de ter audiências, as audiências mudaram de canal e de sítio, ninguém nos queria. Comecei a engordar, ela também, pegávamo-nos todas as noites. Éramos marido e mulher que não se conheciam, éramos dois desconhecidos. Os outros é que nos conheciam a nós. Eu só me tinha posto nela, lá na Casa, e pouco mais. Comecei a odiá-la. E ela a mim. As revistas, as que nos tinham fotografado e dito que éramos os maiores, fizeram umas reportagens a dizer que éramos dois trastes. Sem massa, cravados de dívidas, comecei a passar-me. Já na Casa eu me tinha passado, nunca aguentei a tensão. Não aguento a falta de atenção. Discutimos. E passei-me. Matei-a. Matei a minha mulher. Ou por outra, matei uma mulher que eu não sabia que era minha. Dei-lhe uma para acabar. Tentei matar-me. Puseram-me na prisão uns anos, depois puseram-me aqui. As televisões e os que mandam disseram que eu era um doente, outros que eu era um assassino, outros disseram que eu era uma vítima do sistema. Estudaram-me durante uns tempos, uns cientistas, uns médicos. Fizeram-me testes e mais testes. Diziam que eu a tinha morto porque não suportava o tal anonimato, era uma maneira de voltar a ser famoso. Há os que dizem que tenho uma depressão. Na prisão fartei-me de ler livros, para ver se percebia. Mas eu não estou triste, não estou. Estou é esquecido. Vou-me esquecendo de tudo. Mas você lembra-se de mim não se lembra? Sou o Marco. O famoso Marco. Foi há tantos anos. Que dia é hoje? Eu não estou doido, eu sei o que tenho, tenho o que sempre tive. Tenho saudades de mim. Queria voltar a ser quem eu era, antes de tudo me ter acontecido, antes de entrar na Casa, antes de me amargarem a vida. Nunca mais pude ser quem eu era, eu era um tipo normal. Tenho saudades de mim, tenho tantas saudades de mim.»

Deixei-o no jardim, a chorar. Lágrimas a escaldar caíam-lhe pela cara, como se o choro fosse a única coisa dele que estava viva.

Ao almoço, interroguei o meu amigo psiquiatra. «Ah, meu São Mateus, falaste com o Marco? Pobre diabo, é esperto, nunca tem com quem falar, quando apanha audiência, desata o saco. Ainda usa as palavras de antigamente, o jargão. Está fechado há uns 40 anos. Foi liquidado pelas televisões. O caso foi muito falado, na época. Foi um caso de estudo de sociólogos, criminólogos, esses bandidos do costume. Veio aqui parar quando saiu da prisão. Ninguém o procura. Eu chamo-lhe o Saudades de Mim, que é o que ele repete. É um nome poético. É pacato, às vezes está dias e dias em silêncio. Acha que tem dentro dele duas pessoas, a que era e a que é. Estalou, rachou ao meio, com a pressão. Vai morrer de velho, é um falso suicida. Vai morrer com saudades dele. Matou a mulher à machadada.»

LOURO RICO, LOURO POBRE

Eram dois.

O primeiro entrava todos os dias pela porta do ginásio carregando um saco verde e roxo que dizia MAKRO-FIXE, A SUA AGÊNCIA DE VIAGENS. Entrava no balneário, despia-se e equipava-se. Uma t-shirt, MAKRO-FIXE nuns dias, RAINBOW WARRIOR noutros, coçada nas bainhas e esgarçada nas mangas muito largas. Com um gesto largo, entrava na sala de musculação com o ar de quem era o dono da coisa, o campeão, e atirava--se às máquinas com o mesmo ar com que se atirava às miúdas. As miúdas apareciam por volta da primavera, como as andorinhas, à procura de uma dieta sem par para ver se arranjavam um par de calças e de uns exercícios para o músculo que lhes transformassem as barrigas pálidas e os braços moles em bíceps e tricípites e quadríceps iguais aos do louro makro. Ele metia logo conversa, e dava conselhos, não ponha assim a mão, estique o braço, encha o peito de ar, expire, conte até trinta, devagar, devagarinho. Elas, admiradas da atenção, lisonjeadas do louro dos cabelos dele ligar tão bem com os cabelos despintados delas, deixavam que ele lhes tocasse de raspão, lhes pusesse a mão na cintura, lhes colasse o braço à curva da anca num movimento curto, muito simples, muito breve, muito presumido de deixa lá que eu não estou aqui para isto, eu sou sério, isto é só treino, garinas tenho as que quero.

O louro era casado e já não era novo. Quarenta, bem medidos. Mas, no resto, e no essencial, pelo menos para as andorinhas, estava uma maravilha. Nada de barriga, nem de desfalecimentos, nem de gordurinhas. Tinha o apetite sexual de um touro e todos os músculos no sítio, resultado de anos e anos de treino e musculação e máquinas e suor medido a conta-gotas. O louro dizia que se cuidava, era um desportista, era um macho. Mandava umas bocas sobre nutricionismo às miúdas, proteína para encher, aminoácido para a definição, numa voz nasalada com um sotaque de classe baixa, vulgar. Morava em Odivelas, embora alegasse, às segundas-feiras, que tinha passado o fim-de-semana «a montar a cavalo». Os treinadores do ginásio olhavam-no com suspeita e diziam que era dealer e um bocas. Invejavam-no porque o louro, com aquele cabelo pintado de amarelo e com as raízes que indiciam o louro pobre, papava as miúdas todas do ginásio. Papa mesmo, diziam eles de lado.

O louro rematava todas as frases com as palavras: «É um espectáculo!»

O segundo tinha um saco Nike aerodinâmico, comprado na Niketown de Nova Iorque. Ia muito a Nova Iorque, dizia ele aos treinadores do ginásio que o invejavam. E a Londres, e a Paris, e a Bruxelas. Comprava camisas em Milão, de risquinha azul e branca, e era da banca. Entrava pela porta dentro com o ar dos conquistadores do mundo, e tinha dois cifrões enroscados dentro dos olhos azuis. Estava bronzeado o ano inteiro, um daqueles bronzeados mistura de ar livre com desporto de luxo, vela, esqui, equitação, pólo. A camisola era Polo Ralph Lauren e o louro dos cabelos era rico, fulvo, serpenteado de madeixas aloiradas pelo sol e o mar e umas quantas *nuances* de um cabeleireiro chique, para disfarçar as brancas. Tinha quarenta anos, era solteiro e morava na Linha. Fazia musculação para manter a linha porque passava muitas horas sentado ao computador a vigiar os índices económicos, e os mercados. Nunca entrava num supermercado. Era um macho e tinha um porsche. Olhava as miúdas do ginásio de lado, espiando-lhes a classe social. Tinha horror a suburbanas e atirava-se a betas, as de fato de treino Armani, licras justas e frases sibiladas, todas acabadas em hem, ou bem, ou tem, ou, evidentemente, percebe. Ele percebia e comia, se comia. Os treinadores do ginásio diziam que as papava, papava mesmo. Odiavam-no porque ele vinha de um planeta proibido, onde o sol quando nasce não é para todos e os amanhãs cantam só para alguns. Um dia, o louro rico ouviu o louro pobre falar em cavalos para uma moça que se contorcia nos abdominais e franziu os olhos com desprezo e displicência. Aquela pileca a falar em montar a cavalo, que cavalo! E a t-shirt MAKROFIXE parecia-lhe um atentado à sua t-shirt a dizer CARAS, que lhe tinham oferecido numa festa na Quinta do Lago. Os ginásios instituíam uma democracia perigosa, uma contaminação sem zonas de fractura, ligações perigosas entre ricos e pobres. Fizera uma ruptura de ligamentos na neve e quando ouviu o louro pobre falar em aminoácidos à menina da máquina do lado, foi comprá-los no dia seguinte a uma loja de vitaminas e macrobiótica, envergonhado. Definição, a sua perna murcha depois de meses de reeducação, precisava de definição. As betas odiavam a falta de definição e ele tinha muita, muita falta de definição. Não se queria casar. Betas tinha as que queria. Rematava todas as frases com a palavra «é espectacular». Percebe? Um dia, o louro pobre e o louro rico enfrentaram-se tentando ver quem erguia mais peso. Arfaram. Suaram. Berraram. Disse, quem viu, que foi um espectáculo! Que foi espectacular.

O 25 DE ABRIL
NUNCA EXISTIU

Manuel Dias Boavida desemperrou a porta do elevador, uma relíquia do jornal que todos os jornalistas esperavam que caísse sem cair, e cumprimentou o segurança com um aceno de cabeça. Debruado a vidro no seu canto, o segurança fez um sorriso desmaiado *«a porta está mal fechada, sôtor, esse elevador é um engano, é por isso que ele pára entre os andares».* Dias Boavida, mais conhecido pelo Dias à Boa Vida na redacção do *Expresso* (*é* certo que não era um cavalo de trabalho, o nome traía-o) esteve para fazer um trocadilho tão banal como o da alcunha, mas resolveu calar-se. Ainda não se habituara à liberdade. Este elevador é como o regime, faz que cai mas não cai. Não tinha graça, e já não se aplicava, o regime caíra, escorrera devagarinho do frasco de virtudes, pegajoso como cola.

Boavida (gostava de ser conhecido como o Boavida) encolheu os ombros e acendeu um cigarro enquanto ia a descer as escadas, soprou o fumo como quem ouve um elogio, os olhos meio fechados. A brigada ecológica do jornal não o deixava fumar na sala, mas quando um jornalista passa toda a sua vida (e a sua vida não fora assim tão boa pensando bem) a aturar censores que presumem de sábios e funcionários da política que presumem de estadistas, o Português Suave e o escocês em balão tornam-se uma segunda natureza, um gesto instintivo para moderar a agressão e dissolver a repugnância que essa vida às vezes lhe causava. Os ecológicos eram mais novos, não tinham gasto a existência a fingir de espectadores e a escrever nas entrelinhas. Demasiados anos a aturar os fascistas de tromba medonha e as senhoras de pele repuxada nos olhos, a boca um pouco inchada depois da operação no Brasil e da «*ida ao Pitanguy*». As madames não queriam envelhecer, arrecadavam dólares para não envelhecer, o resto das mulheres portuguesas especializava-se em limpezas, em comprar a *Crónica Feminina*. Escolha entre andar a dias andar ou na má vida. As palavras dias e vida são palavas perigosas quando andam juntas com os adjectivos bom e mau, o O'Neill é que era bom a engatilhar palavras daquelas e a atirá-las como balas. Pena que tivesse morrido longe de Lisboa, no exílio, esquecido pelo Portugal a que dissera adeus, e que se tornara, para os que ficaram, um remorso. O O'Neill é que sabia. Caramba, tinha de tomar cautelas, estava a ficar azedo com os anos, eram os cinquenta que vinham aí com passos de veludo.

Boavida atirou o fósforo guardado na mão para o chão e abriu a porta que dava para a Duque de Palmela. O sol bateu-lhe na cara de repente, a luz a espantar-lhe os pensamentos, a alagá-los na claridade da manhã que parecia esfregada de limpo por entidades divinas que passassem a noite a polir o mundo para o devolver a brilhar à humanidade, como nos anúncios de detergentes. Mostrando-se Portugal um país católico e praticante e fundamentalista, com tantas capelas, tantas viúvas piedosas e tantos padres de aldeia, só tínhamos a agradecer a Deus a maçada de andar às noites nas limpezas, se calhar pago à hora em orações e em joelhos esfolados nas lajes de Fátima, o supremo orgulho nacional.

Boavida era ateu, e não confessava os pecados mortais. Era poeta de horas vagas e homem de esquerda, duas actividades clandestinas e dois lugares-comuns que sobressaem entre os lugares-comuns. A porta fechou-se-lhe atrás das costas, com um salto da mola que lhe causava sempre uma espécie de sobressalto, como se esperasse uma pancada por trás, uma paulada na cabeça, um soco no pescoço. O reflexo de Pavlov ficara-lhe das noites passadas nos esconsos da António Maria Cardoso, com os pides a jogar pingue-pongue com as perguntas sobre comunistas e socialistas e a jogar boxe com a tola dele a fazer de saco. Nessas alturas, arrependia-se de não se ter ido embora como tantos outros, de ter julgado que o 25 de Abril não iria, não poderia durar sempre, e que o país acabaria por soltar-se, com a ajuda da Europa, dos americanos, do mundo civilizado, da garra dos generais da Junta. Mas o 25 de Abril durara tempo de mais, a mocidade esgotara-se-lhe entre os rituais de orangotango amestrado da Mocidade Portuguesa e os rituais dos gorilas da ditadura, na selva do planeta dos macacos. Assim passara, como num filme a preto e branco, os anos a que chamam os melhores da nossa vida. Tempus fugit. Odiava este país, o realismo obrigatório, o falso ar bem- -comportado, a ausência de tumulto que indicia uma ordem imposta de cima, invisível e silenciosa. Um conformista, era o que tinha sido, um conformista do contra.

Boavida reparou nas paredes com cartazes de papel ordinário, com letras e siglas e símbolos, e nos grafitti com dizeres abaixo isto acima aquilo, e nas árvores que dança- vam ao vento da primavera, embalando os letreiros e faixas pendurados nos ramos. PPD, PS, CDS e até, espanto dos espantos, o PC, mais meia dúzia de minúsculos partidos e grupos e movimentos. Faltava uma semana para o 25 de Abril e menos de um ano para o virar do milénio, Portugal ia pela primeira vez em mais de setenta anos de história ter eleições livres. Quando o Presidente do Conselho deci- dira marcar eleições para 25 de Abril de 1999, legislada a legalização e constituição dos partidos, o país de dentro e de fora, o dos portugueses de dentro e de fora, emigrantes e exilados, tinha entrado numa convulsão. Ouviam-se as vozes do contra, que clamavam numa indignação que a data do contragolpe militar que sufocara a revolução dos cravos estava manchada de sangue, e as vozes a favor, que achavam que devolver a liberdade de Abril ao país era a melhor maneira de comemorar os mártires do 25 de Abril.

Boavida respirou fundo e ao pregar os olhos no céu (o tal de Magritte) e ao sentir nas narinas o cheiro das flores, da relva cortada e das folhas tenras do Parque Eduardo VII, concluiu que tudo, neste canto da ocidental pátria, mesmo tudo, se passava na primavera. Tivemos a primavera marcelista que desembocou no golpe dos capitães de Abril que desaguou no contra--golpe do general Shultz Carriaga e seus muchachos. Uma Junta Militar de banda desenhada que durara o suficiente para matar, prender, torturar, exilar, deportar e aterrorizar milhares e milhares de lusitanos e dar cabo da pátria. Shultz Carriaga, o fascista dos fascistas, o capo di tutti capi, que acusara Marcello Caetano de desvio de esquerda, lembrava-lhe uma personagem dos labirintos da imaginação do argentino Borges, que sabia bem o que era uma ditadura militar. Talvez fosse o nome, Carriaga, que lhe soava ao do borgesiano (caramba, estava a ficar como os tipos da secção literária do jornal) Evaristo Carriego. Shultz Carriaga, com o ar de figurante de «O Padrinho», os óculos escuros e as medalhas ao peito, os galões e a «esposa» a tiracolo, era um homem brutal sobre o qual descera a desgraça de ser ridículo. Sobre ele tinham circulado, mais tarde, já o sangue dos mortos do Campo Pequeno estava seco, já a Junta estava de casa e pucarinho, já o país ousava rir à socapa e cheio de medo, anedotas tremendas alinhavadas com o ódio que só o riso consegue conter. O país, amassado em fardas e marchas marciais, vingava-se na arte do escárnio e maldizer. A ditadura de Carriaga fora um período negro da dita e desdita pátria, palavra que enchia a boca dos generais e da rapaziada da camisa preta, os meninos de gel no penteado e sapatinho engraxado que veneravam o santo Salazar e lhe acendiam velinhas com mística compunção. Tudo beatos de incenso e água benta, enganados no deus e no seminário. Por vexame, eram conhecidos como os «salazarinhos». Pavoneavam-se no 28 de Maio e no 10 de Junho, desfilando de braço apontado a cantar rimas esdrúxulas em que Salazar rimava com mar e amar. Por ironia, o Shultz, também conhecido por o Xutos e Pontapés, morrera num atentado bombista copiadinho do de Carrero Blanco, em Espanha. Uma carga explosiva da brigada terrorista Sangue Vermelho que o expandira (expansão, uma palavra cara da ditadura) em mil bocados. A ele e ao regime, visto que Franco Nespereira não se aguentara ao barulho dos cacos a cair e acabara por resignar, dando o lugar a Manteigas Romão, o Presidente do Conselho que queria que lhe chamassem Primeiro-Ministro. Com o assassínio do velho Presidente Shultz, a saída do Nespereira e a entrada do Romão (o problema desta gente é que tinha uns nomes lixados) o regime inaugurado em 25 de Abril de 1974 caíra de maduro, como fruta podre na árvore à espera de poder rolar pelo chão e ser comida pelos porcos. Era a «perestroika» lusitana, com a Pide desarticulada e o regime exaurido. Nos últimos anos, a repressão fora exercida por impulsos, pequenas descargas eléctricas aplicadas ao doente habituado aos electrochoques. O impensável acontecera, Portugal entrava na democracia lentamente, com uma transição suave e primaveril, décadas atrasado em relação a uma Europa da qual tinha sido excluído e à qual queria, pobre e falido como estava, pertencer. A extrema-direita, dispersa em grupúsculos nos anos da deliquescência, andava desorientada, bufando contra o Romão e as eleições, cogitando golpes nos sótãos, à míngua de um chefe e de uma ideologia. Os militares, divididos e cansados de guerra, queriam recolher às casernas. E os tiranos do antigamente estavam a fazer tijolo ou na poltrona da reforma, a assistir com a boca aberta e babada ao desfecho do caso Pinochet, «*uma ignomínia*». *No Ecos do Dia* e no *Diabrete,* os pasquins, a direita ameaçava e conspirava, chamando traidor a Dário Soares, que regressara há pouco tempo a Portugal, depois de anos e anos de prisão e de exílio em Paris.

Boavida deu uma gargalhada para dentro do peito. A direita queria matar Álvaro Punhal, o reverendíssimo Punhal, o fantasma de sombra projectada na parede, o chefe histórico dos comunistas e uma referência moral durante décadas de sacrifício e clandestinidade. A PIDE nunca o conseguira prender depois do 25 de Abril de 74, e dizia-se que Punhal entrara e saíra de Portugal quando quisera, arriscando-se nos corredores e alçapões da rede clandestina do partido comunista, o partido que Shulza tentara aniquilar até ao útimo militante. (Eles multiplicavam-se como pulgas.) Punhal, que ninguém sabia onde vivia, nem como vivia, nem com quem vivia, encontrara-se às vezes com Soares no metro de Paris, um ser oblíquo e desconfiado, amante dos silêncios, um homem que vivia no frio e dele não pretendia sair, ao contrário do espião de Le Carré. Assistira em pasmo à derrocada da Cortina de Ferro, lamentando a imperfeição dos homens que tão mal tinham interpetado os desígnios dos amanhãs que cantam. Depois da queda do Muro, não era certo que o último comunista tivesse abandonado a Rússia de vez, onde se suspeitava que tinha mulher, filhos e netos. Punhal era o mito de todos os mitos, e os jornalistas atropelavam-se por uma entrevista, que ele só concedia com as perguntas escritas e as respostas escritas. Encafuado na sede nova da Rua António Ferro (queriam mudá-la para Rua Soeiro Pereira Gomes) o Punhal não se deixava fotografar, excepto uma única vez em que o fotógrafo do *Expresso* o convencera a posar em frente à Torre de Belém, sentado numa cadeira. A fotografia enfurecera o pide «Tosa» Casaco (o *petit nom* viera-lhe das «tosas» que a Pide aplicava) ao ponto de Valdemão, o autor da entrevista, o Castanheira, e o autor da fotografia, o Carvalho, serem chamados à António Maria Cardoso. Mas a Pide, nesses dias de menos ira, já não mandava. Casaco estava no fim da vida, retirado. A fotografia incomodara muita gente, que acusara o jornal de fotomontagem, e de pretender apresentar o estalinista Punhal como uma figura respeitável, de avôzinho. Punhal autorizara a foto e a entrevista para provocar a Pide e por baixo da cabeleira branca, a sua face, de uma beleza esculpida em pedra dura, estava desfigurada pelo tempo. Soares e ele nunca se entenderam.

Boavida, por causa do cheiro da primavera, viajava vinte e cinco anos para trás. Tinha um encontro na Baixa, olhou para o relógio e eram só onze horas, resolveu descer a Avenida a pé, pelo passeio central. Nunca gostara de andar de metro, nem de atravessar os túneis

pintados cor de cinza que lhe lembravam a prisão.
E nunca tivera dinheiro para um carro decente. Os carros decentes pertenciam à nomenklatura e aos ricos, que podiam comprar produtos importados. O resto da pátria vivia na abjecção da pobreza que raia a miséria, Portugal tinha-se tornado, à direita, a Albânia da Europa. O carro português, o Luso, outro motivo de orgulho nacional depois da humilhação que constituíra a impossibilidade de fabricar o computador português («o nosso computador é bom... porque é melhor!», fora o delirante e inútil mote da campanha) não passava de uma mota com capota e avariava-se mais do que os comboios da CP. A gasolina era cara, apesar do petróleo de Cabinda e do Soyo e dos poços de Timor. Boavida ainda pensara em inscrever-se, preenchendo a requisição do Ministério do Interior, para a aquisição de um telemóvel importado, mas com o cadastro político e a profissão que abraçara (abraçara ou fora lá parar aos trambolhões?) estava condenado a uma nega. O telemóvel, a Internet, a parabólica, eram controlados pelo Estado, que apesar da abertura do regime não cessara a vocação para espiolhar, censurar e proibir. Em Lisboa, alguns oposicionistas chiques e bem tolerados pelo regime (os do costume, os da massa, a alta burguesia esclarecida e viajada que considerava o fascismo uma questão estética e tinha pavor dos socialistas e comunistas) tinham a sua parabólica e faziam jantares e reuniões em casa, *salons* para combater o regime «por dentro» e aproveitar para ver a CNN, o Eurosport e uns filmes pornográficos. O *Expresso* tivera direito a parabólica, que sempre que o *Expresso* se «portara

mal», fora cortada. Por causa do dono, Pinto Valsemão, ser um dos nomes da ala liberal e um nome de influência, o semanário nunca mais caíra das boas graças do regime depois de ter sido fechado em Abril de 74. O jornal reabrira nos idos de 80, já a Junta de Salvação Nacional tinha sido extinta e Shultz trepara os muros do palácio de Belém e saltara para Presidente da República pondo o Nespereira a governar. Mesmo assim, o *Expresso* voltara a ser alvo da cobiça dos censores e dos herdeiros dos rancores de Barbeiro Cardoso. O rancor do chefe máximo da Pide, que em Abril de 74 viera a correr de Paris (e da alcova de um fim-de-semana galante) animado pelas notícias do contragolpe, e promovido por Shultz a um lugar especial, o de carrasco-mor, não era de deitar fora. Depois de Silva Cais, um «mole», ser afastado. A seguir ao contragolpe, Barbeiro, com a ajuda do «Tosa» Casaco e outros, considerara o *Expresso* um covil de esquerdistas (era verdade, multiplicavam-se como pulgas) e desejara o extermínio de todos os liberais deste mundo, prendendo jornalistas a torto e a direito e encerrando o jornal. Todos os jornais que dissessem o contrário dos jornais oficiais do Estado e da Junta, o vetusto *Calendário de Notícias* do Peça Múrias e o estreante semanário *O Milénio* de João Boito, ou que não se limitassem a recortar telexes da ANI, a Agência Nacional de Informação, e a gabar os méritos da RTP do dr. Ramiro Baladão, estavam arrumados. Nos anos da abertura, quando Nespereira começara a perder o controle da situação, o *Expresso* tivera o desplante de publicar escritos de «intelectuais» exilados que o lápis da censura rasurava sem piedade e com ignorância, intimidado pela letrinha miúdinha de E. Lourenço, as citações en français dans le texte de E. Prado Lebre, mais conhecido pelo Lebre do Prado por causa do seu humor saltitante.

Boavida, que só entrara no *Expresso* na reabertura, ganhava pouco. Aceitara um privilégio na vida, uma casa barata no Bairro Social de Telheiras, um bairro para «desfavorecidos», erguido no meio de um descampado na periferia de Lisboa e que imediatamente fora ocupado pelos protegidos e «cunhados» da ditadura, segundo o tradicional sistema da «cunha». Um irmão da mulher mexera uns cordelinhos e arranjara-lhe um empréstimo bonificado no Banco dos Champalimello e um três divisões que agora chamavam (ilogicamente) um T2. Sobrara da manobra o sentimento vago de que a casa constituía um pacto com o regime, uma aceitação de favores que o envergonhavam, mas a mulher fizera uma gritaria tal que não tivera coragem de recusar. Dos oito milhões de portugueses do continente, só uma minoria tinha casa em condições, e os prédios de Lisboa, descascados e arruinados, eram um convite à rataria e aos incêndios por curto-circuito. Só os bairros finos, construídos à imagem do Restelo e das Avenidas Novas, e refinados com o dinheiro de Angola, tinham escapado. Nas Amoreiras, um ghetto de ricaços, havia mesmo um prédio às cores, conhecido pelo Arco-Íris do Caveira, o espírito fundador. O arquitecto Caveira, que demonstrara uma infeliz tendência para a arruaça, acabara filado pela Pide numa história sórdida de vídeos com mulheres nuas e declarado um exemplo de indignidades morais.

O Arco-Íris tinha por baixo um centro comercial (o mais pequeno da Europa) com lojas de luxo a abarrotar de produtos importados. O centro comercial tinha seguranças às portas e era só para clientes de cartão doirado, como a discoteca da moda, o famoso Clube-D, o Clube do Dinheiro (chamavam-lhe Di Clâbe, à inglesa). O resto do mundo abastecia-se nas mercearias de bairro, a prestações, ou, os mais remediados, num enorme supermercado nas Portas de Benfica, o Centro Comercial Infante Dom Henrique, luzindo uma filial dos armazéns espanhóis do Corte Inglês e uma loja gigante dos Armazéns do Conde Barão e inaugurado com a presença de suas altezas reais os duques de Bragança (que se consideravam parentes do infante). No supermercado do CC Dom Henrique, propriedade de um homem do norte, um tal Delmiro de Azevedo, vendiam-se produtos espanhóis e franceses a preço mais baixo, e Delmiro, um entusiasta da modernização, ansiava pela democracia real para dotar o país de uma rede de supermercados a sério. *«O futuro são os supermercados, e até os hipermercados, um conceito americano e europeu, que espero venha a ser um êxito em Portugal, quando o país tiver maior poder de compra.»* Queria também, tinha anunciado isto numa entrevista a Boavida, trazer para Portugal um telemóvel *«óptimo»*. Uma proposta extravagante, sabendo-se como se sabia que, com a guerra civil em Angola e o fim dos rendimentos do petróleo que nos tinham aguentado durante anos somados às remessas de emigrantes, os portugueses estavam (como diria o Eça) sem cheta. A democratização plena traria o FMI, e o aumento da dívida externa, e da inflação. E as reservas de ouro a que Salazar tinha sido tão apegado não valiam um tostão, o preço do ouro caíra a pique. Como é que Delmiro ia vender o seu *camembert* da Normandia a malta que nem massa tinha para o flamengo dos Açores? A Europa tinha muita pena de nós, coitados, mas a União fizera-se sem nós e estávamos, apesar dos sonhos de grandeza de Dário Soares, a anos-luz do mercado comunitário e na bicha para nele entrar, como a Turquia e a Europa de Leste. Só a Espanha democrática continuara, pela proximidade da geografia, a negociar connosco, mas viam-nos mais como uma província atrasada e labrega do que como um país independente (e eram capazes de nos explorarem).

Dias Boavida ficara semidesempregado a seguir ao contragolpe, e fora o salário da mulher, que era enfermeira, que os sustentara enquanto ele dava explicações de francês e português a meninos rabinos e rabiscava versos revolucionários e magoados a imitar Manuel Alegria. Alegria, o poeta de Argel, o da Trova do Vento que Passa, e o seu ídolo. Alegria, que passara de Argel para Paris, para o grupo do Soares, regressara a Portugal para as eleições, e era com um amigo comum que Boavida tinha o encontro na Baixa. Boavida queria entrevistar Alegria, sabia que o PS andava em desencontros, e que muitos já não viam em Soares mais do que a referência moral dos socialistas, desagradados com a pretensão a Primeiro-Ministro. «*O Soares já não tem idade para estas campanhas, devia dar o lugar aos novos, devia era ir para um cargo na Europa, que foi onde ele esteve toda a vida. Ele nem sabe fazer contas! Precisa-se sangue novo!*», acusavam os insurrectos chefiados pelo António Gutierrez, um engenheiro com fama de inteligente que usava um bigode à Zapata que lhe dava um ar mexicano a condizer com o nome. Gutierrez era um discípulo de Delgado Zenha, um resistente, referência moral dos não soaristas, e que morrera no exílio, ainda magoado pela forte zanga com Soares, uma rivalidade fraterna que não aguentara a pressão do poder.

No Marquês de Pombal, Boavida olhou de relance para a estátua de Salazar que, no alto do Parque Eduardo VII, esquadrinhava o Tejo e o mundo. A estátua, um mono de mármore em que Salazar aparecia de braço esticado e rodeado de repuxos e uma fonte de símbolos fálicos (o artista explicara num gaguejo que o salazarismo era uma *«democracia musculada»*, uma autoridade apontada para o sítio certo), seria ou não seria demolida? Boavida sabia de fonte certa que havia, à espera do próximo 25 de Abril, uma malta com o martelo e o escalpelo a jeito para dar cabo daquela fonte. «Vamos botar o Botas abaixo», lia-se numa parede da Sidónio Pais, em gatafunhos amarelos. A marca amarela era do MRPP, um simpático grupo de maoístas que fingiam ignorar a má reputação do maoísmo na China. Um dos seus dissidentes mais famosos, um tal Durão Darroso, conhecido pelo Durão, Il Rosso, o Vermelho, que a Pide caçara sem parar e sem sucesso, fora estudar para a Suíça e os Estados-Unidos com o estatuto de refugiado político (a vida dá muitas voltas) e andava agora à solta, a conspirar com os tipos do PPD, os sociais-democratas órfãos de Sá Canteiro, uma figura oposicionista da ala liberal, uma referência moral e um amigo de Valdemão e de Preito do Amaral, dois dos fundadores dos novos PPD e CDS. O CDS, do Preito do Amaral, estava à direita do PPD e intitulava--se democrata-cristão, ao centro, um conceito europeu (o Preito queria era civilizar a direita). Canteiro, um homem de coragem, morrera em 1980, numa avioneta despenhada sobre Camarate. Assassinado pela PIDE, murmurava-se. O *«atentado de Camarate»*, dizia-se. Uma vez, numa manifestação colectiva de pesar na Praça do Areeiro, a caminho do aeroporto e de Camarate a pé, no aniversário da morte de Canteiro, um grupo de liberais fora preso por desacatos na via pública. Um deles, um jovem fogoso e conquistador chamado Pedro Santana Lopo, alcunha o Santana Love, ligeiramente tocado, tivera a ideia de urinar sobre a outra Grande Homenagem da Cidade a Salazar, uma estátua que consistia numa cabeça de metal a sair de um pedestal nacionalista. Aqui o artista (outro artista) chamara-lhe uma obra--prima. A cidade, coitada, ia passando em frente à estátua do Areeiro, rodeada de relva amarelada pela rega dos cães de luxo do bairro. *«Vou inundar os pés de barro do ídolo de pés de barro»*, lançara o Santana num repto, e apanhara uma tareia da Pide por causa da graça. O mono do Areeiro, que o iconoclasta molhara com vigor, também não tinha pés, só tinha cabeça.

Boavida espirrou e apertou os botões da gabardine. Outro verso do O'Neill subiu-lhe à testa. «Subamos e desçamos a Avenida, / enquanto esperamos por uma outra / (ou pela outra) vida» (caramba, são os melhores os primeiros a partir). Um ventinho soprava do rio, a pentear as palmeiras da Avenida da Liberdade, que ostentava, em homenagem ao baptismo, propaganda dos partidos. Só o PS, fundado em 73 na Alemanha, e o PC, declaravam ter um passado, incomodados com os sociais-democratas e os democratas-cristãos. A União Nacional, *«do outro lado do espectro»*, como diziam os jornalistas políticos inebriados com o novo jargão, não tinha hipóteses (tinha excesso de passado). O próprio Romão encetara conversações com os socialistas mais tecnocratas como ele, declarando-se convertido ao socialismo democrático. «O *Romão quer uma pastazinha para ele, no futuro, uma coisa sonante»*, resmungavam os críticos. Romão ainda não aderira a nenhum partido, tendo sucedido a Nespereira graças às influências dos ditos tecnocratas e modernizadores, tanto os do regime como os da oposição, fartos de aturar um Portugal parado à beira do século XXI, artrítico e encarquilhado, que os embaraçava perante estrangeiros, como um parente da província. A ditadura nada fizera pelo país, concluíam os economistas e engenheiros, atribuindo culpas aos lentes de Direito e advogados (multiplicavam-se como pulgas) que tinham mandado tantos anos atrás dos militares. Romão, que em 74 era o Ministro da Educação de Marcello Caetano, privatizara o ensino, e as universidades privadas tornavam-se um negócio «moderno», e uma «moderna» concorrência às do Estado, colégios pagos a peso de ouro (multiplicavam-se como pulgas) para «modernistas» com grana.

Boavida apertou um atacador solto com o pé num dos bancos onde velhos cabeceavam e pedintes coçavam a barriga. Os pedintes, oficialmente, não existiam, mas a Baixa estava cheia de «ceguinhos» de acordeão e de crianças de lata na mão, que eram enxotados com um tenha paciência. Num romance do Cardoso Tires, aparecera uma menção a um coro de cegos que a censura entendera como uma referência maldosa ao regime, e o livro fora proibido e circulara, como o resto da obra do escritor, em fotocópias. Era o samizdat do Pires, que entretanto morrera exilado no Rio de Janeiro, e havia ainda os samizdat (publicados há pouco tempo) do Raposo Antunes e do José Samarago, todos eles acusados de comunismo e efeitos deletérios sobre a juventude, todos eles exilados. O Antunes em Paris, o Samarago em Espanha, numa ilha das Canárias donde usava o seu prestígio de Nobel da Literatura, ganho em 98, para despedir acusações *ao fascismo e à sua iniquidade»*. Anos antes, uma edição do *Expresso* tinha sido toda apreendida por causa de um artigo dele, que o jornal assinara com pseudónimo e cujo teor «subversivo» escapara ao censor. Samarago, agastado por o terem coberto com um pseudónimo, cortara relações com o jornal. Inspirado pelo episódio em que o tinham despojado do nome escrevera um romance intitulado «Todos os Nomes».

Boavida notou que havia um grafitti a exigir «25 de Abril sempre» e outro a exigir «25 de Abril nunca mais». Boavida decidiu, dado o adiantado da hora, entrar no bar do Rivoli e beber um café para aquecer o motor. O hotel, um cinco estrelas em decadência com um restaurante habitado por figuras gradas e um bar estimado por escribas, não estava cheio de turistas. Apesar de Portugal se vender lá fora em saldo, os americanos e japoneses, e os europeus, eram parcos em visitas e Lisboa era uma capital tristonha. A ditadura não fora apreciada no estrangeiro, as constantes censuras da ONU ao nosso estrebuchante império colonial e o ostracismo a que tínhamos sido condenados pela comunidade internacional (Salazar apreciaria o «orgulhosamente sós») não estimulavam a procura do «país do sol e do vinho», da «Lisboa do fado, dos azulejos e das ruelas», do «Portugal das praias desertas e das típicas aldeias», do «povo bom, simples e hospitaleiro». Só os ingleses, «povo prático, povo essencialmente prático» (que faríamos sem o Eça?) nos invadiam o litoral, instalando no Algarve e em Cascais pequenas colónias de expatriados onde se discutia política internacional, se jogava golfe e se bebia gin, num íntimo convívio com as boas famílias lusitanas, todas com casa no Algarve. Uma vez por ano, os homens vestiam calças vermelhas para a festa dos Raviotti, e uma vez por ano embebedavam-se todos na Festa do Champanhe, os acontecimentos sociais do ano, que sucederam à festa do Patiño como o must das classes dominantes. As classes baixas inglesas desfrutavam o Algarve ao preço da chuva enquanto à classe média portuguesa era concedido, em campos delimitados e bem longe das praias privativas, o direito a estender uma tenda de campismo. Os mais abonados iam para a pensão. A classe média portuguesa tinha um salário de classe baixa, baixíssima (como se comportaria o ódio de classes em democracia?) e não existia (embora pensasse que existia). A paisagem algarvia fora-se estragando com as negociatas dos estrangeiros e

dos portugueses que vendiam o terreno a retalho, enrique-
cendo à tripa-forra com o beneplácito dos senhores presi-
dentes das câmaras, uma tropa de bolso recheado.
O regime incentivava (um neologismo político) a corrup-
ção desde que os corruptos e corruptores fossem obedien-
tes. Os «verdes» (multiplicavam-se como pulgas) passavam
o tempo a dizer que se Portugal fosse uma democracia o
Algarve não teria sido estragado para sempre e culpavam
o fascismo da destruição da paisagem.

Boavida cumprimentou o porteiro do hotel e deu uma
vista de olhos pelo salão. Um pianista dedilhava melanco-
lias num canto, por sinal a melodia «Abril em Portugal»,
adequada à estação. Mulheres de certa idade abanavam-se
com leques, como se tivessem calor, tomando chá logo de
manhã. Sentia-se no ar um cheiro a bolor e bafio, como
quem abre a porta de um quarto há muito tempo fechado.
Havia jornalistas estrangeiros que vinham cobrir as eleições, aves de arribação espalhadas por outros hotéis tão
decadentes como este. A hotelaria não tinha prosperado
durante a ditadura, ao contrário dos bares onde se
diluíam dívidas e amarguras em álcool, vinho tinto, gin-
jinha e whisky nacional da marca Continente, mais
barato que o verdadeiro malte. Sentou-se ao balcão e
pediu um café e uma Pedras gelada. Deu-se conta de que
tinha companhia, outro jornalista, o Baptista Pastos, do
defunto *Diário Popular,* um tipo sempre metido em tra-
palhadas com a Pide das quais se conseguia desvenci-
lhar. O Pastos, que pastara a vida toda em jornais e era
escritor realista, estava agora numa fase de esplendor,
depois de um programa do Hermano José, na RTP, se

ter metido com ele, chamando-lhe o Artista Pastos. Hermano, que conseguia o milagre de agradar a gregos e troianos, era simultaneamente o cómico do regime e da oposição, e mantinha a equidistância gozando com uns e com outros e recebendo uns e outros na sua casa da Lapa, onde mantinha um salão muito frequentado por cavalheiros de fortuna e damas da corte. Chama-vam-lhe o Hermano Pompadour, estava milionário, era um espertalhão. Um dia, por causa de uma piada ao actual presidente da República, João Hermano Saraiva, Hermano José fora chamado a Belém. Se censura houve ninguém a viu, e os fotógrafos puderam bater umas chapas do presidente e do cómico aos abraços entre os canteiros de rosas do jardim. *«Dois grandes comuni-cadores»*, balbuciaram os conselheiros. Hermano só não se metia com Fátima, de resto, até uma piada ao 25 de Abril fizera, carregada de ambiguidades e trejeitos. Tal como Amália e Eusébio, Hermano era um valor nacional.

Boavida saudou o Pastos, que acariciava um copo de água mineral com as mãos.

«— Eh pá, vinha eu a descer a Avenida, quando me lembrei do Amâncio de Castro, esse grande antifascista, que acaba de falecer. Vinha tomar um copo por ele e lem-brei-me que deixei de beber. Aquele já não vai ver o 25 de Abril. Tu achas que agora é de vez? Vamos ter liber-dade, meter o resto dos pides na gaveta e tirar cá para fora um socialismo que se veja e de rosto humano? Ouve lá, recordas-te do outro 25 de Abril? O banho de sangue? Ouve lá, onde é que tu estavas no 25 de Abril?»

O outro gostava de se ouvir. Lembrava-se muito bem onde é que estava no outro 25 de Abril. Em casa, acabadinho de casar, com um curso de Direito por acabar, um emprego na rádio e os sonhos dos vinte e poucos anos. Escapara à tropa por causa da miopia e de um suborno da família a um dos mediadores que tratavam dos arranjinhos com envelope por baixo da mesa (do suborno só soubera mais tarde e por uma inconfidência). O 25 de Abril ainda lhe provocava um tremor nas mãos. Um colega da Renascença telefonara-lhe num alvoroço, eh pá, agora é que vai ser, fica à escuta e espera pelo «Grândola, Vila Morena» do Zeca, à meia-noite. Mais nada. Com o coração aos saltos, sem dizer à mulher, esperou. À meia-noite e vinte e cinco, quando o compasso da canção lhe entrou pelos sentidos, sentiu-se desfalecer. No verso «o povo é quem mais ordena» deu um murro na mesa, com o nervoso miudinho. Que era aquilo, uma senha? Outro 16 de Março falhado? Noite dentro, tudo se precipitara, telefonemas, interrogações. Conseguiram? Não conseguiram? Tinham conseguido. Tinham ocupado as rádios e a televisão. A madrugada entrara coberta de presságios e desejos. As pessoas começaram a sair das casas como coelhos da toca, e os comunicados do MFA, Movimento das Forças Armadas, circulavam no éter, entravam nas casas. O regime parecia não oferecer resistência e Marcello Caetano escondera-se no quartel do Carmo numa desorientação acossada. A Pide barricara-se na António Maria Cardoso. Havia tanques nas ruas, e cravos vermelhos como um sinal de vitória. A revolução dos cravos, se a revolução tivesse direito a um nome.

Um capitão da Escola Prática de Cavalaria de Santarém, Salgueiro Maia, ocupara o Terreiro do Paço sem disparar um tiro e apoderara-se do Banco de Portugal. Subira ao Carmo e, ajudado pelo povo, obrigara Caetano a declarar-se pronto para a rendição que, *«para o poder não cair na rua»,* seria feita perante o general Spínola, autor de um livro polémico sobre o Ultramar, «Portugal e o Futuro». Otelo, o outro grande operacional, coordenava os movimentos dos militares. A atitude de Marcello convencera o MFA da derrota do regime. A Assembleia Nacional não reunira por falta de quorum e ninguém sabia do paradeiro do melífluo Presidente Américo Tomás. O país de norte a sul, na manhã de 25 de Abril, andava numa euforia desperta, saudando os heróis, carregando os soldados em ombros, espetando cravos nas espingardas, trepando pelos tanques, ocupando as praças, sorvendo as primeiras gotas da liberdade. O regime desmanchara-se sem brados nem mortos, fugindo a sete pés o cortejo de servos e serventes. Ao saberem da notícia, os exilados apressaram-se a regressar a Portugal no primeiro transporte que arranjaram. Por isso, quando estalou o chicote do contragolpe, todos foram apanhados desprevenidos. O general Shultz, em conúbio com o almirante Tomás, reunira em torno da sua figura um núcleo de falcões, dispostos a esmagar a revolta e a redimir a nação das debilidades de Caetano. Shultz, ao contrário do Governo, continuara desconfiado desde a aparente vitória sobre a tentativa do 16 de Março. E fora organizando os homens que lhe seriam leais numa aflição. Na noite do 25 de Abril «a morte saiu à rua», como na canção de Zeca Afonso. A população levou com as primeiras rajadas e tiros de canhão, e quando os primeiros comunicados da autoproclamada Junta de Salvação Nacional foram lidos na rádio e na televisão já a desordem era imensa. Foi declarado o estado de sítio e o recolher obrigatório, não convinha assomar às janelas. Em Lisboa, a madrugada foi sangrenta e uma das primeiras vítimas foi o oposicionista Francisco Sousa Tavares, alvejado em cima de um tanque, quando instigava os populares para não se renderem, agarrado a um megafone. Boavida, em casa de amigos, resolveu aguardar, assustado. O telefone ia tocando com as informações mais contraditórias, ninguém sabia bem o que se passava, parece que os capitães estavam em apuros, falava-se que Otelo e Salgueiro Maia e muitos outros tinham sido alvejados, mortos, presos, as versões iam diferindo. Falava-se que Shultz, que já se sabia ser o autor do contragolpe, tinha mandado concentrar os revolucionários no Campo Pequeno, à vista armada. Por toda a cidade ouviam-se gritos e disparos, soldados em correria, tanques a dobrar as esquinas, pesados como uma ameaça, esmagando pessoas que saltavam para a frente com um cravo na mão. O relato dos acontecimentos do 25 de Abril, que ainda hoje permanecia na penumbra, só viria mais tarde, em fragmentos, em testemunhos dos sobreviventes. Nenhuma História de Portugal pudera contar a verdade ou investigar a verdade e o Círculo de Leitores e o historiador Mattoso, que se propunham fazer uma História em volumes, foram proibidos de chegar ao século XX, ao volume da História Contemporânea.

Os arquivos continuaram fechados a cadeado. Ninguém soube ao certo quantos morreram, como na guerra de África. No Campo Pequeno, um comandante zeloso, dizia-se que sem a autorização do Shultz ou dos generais, mandara fuzilar um monte de gente, cantores, poetas, funcionários, operários, homens e mulheres, suspeitos e não suspeitos de resistência. Só mais tarde se soube que Salgueiro Maia tinha sido morto numa troca de tiros e Otelo tinha sido levado para o Campo Pequeno e fuzilado. As forças revolucionárias foram dizimadas. Os generais foram apertando as malhas da rede, procurando apanhar todos os cabecilhas e apoiantes do MFA. Vasco Lourenço, Garcia dos Santos, Sousa e Castro, Hugo dos Santos, Pinto Soares, Manuel Monge, Duran Clemente, Vítor Alves, Vítor Crespo, Charais, Pezarat Correia, Carlos Fabião, Silvério Marques, Rosa Coutinho, Vasco Gonçalves, Pinheiro de Azevedo, Galvão de Melo e muitos outros foram presos. Melo Antunes, o intelectual do Movimento, foi morto no Campo Pequeno. Zeca Afonso foi morto no Campo Pequeno, quando cantava com os outros prisioneiros o Grândola Vila Morena, a faísca que incendiara a ira do tal comandante, que determinara a execução com uma rajada de metralhadora. Spínola e Costa Gomes, por deferência para com a sua patente militar, foram deportados para Cabo Verde, e só escaparia Carvalho Eanes, posto a salvo em Espanha através da rede dos comunistas, em fuga cinematográfica. Eanes, que passaria os anos seguintes em Espanha, a tirar um curso de sociologia na universidade de Navarra (parece que era um protegido do Opus Dei) acabaria por se tornar a referência moral do grupo de exilados de Madrid, o dos «renovadores», que ora conspirava com o de Paris, ora se disputava com o de Paris. Eanes, que detestava Soares e vice-versa, seria acusado por alguns socialistas de ser o causador da zanga de Soares com Zenha, e os dois não se cumprimentavam. Dário Soares, aliás, fora preso logo a 26 de Abril e entregue à Pide, que o fez passar um mau bocado. Soares e a mulher vinham a entrar em Portugal de comboio quando foram apanhados na fronteira, em Vilar Formoso. Não sabiam do contra-golpe, vinham convencidos de que a revolução vencera, e a Pide deitara-lhes a luva, bem como aos outros exilados que enchiam as carruagens. Soares acabaria por passar quatro anos nas celas de Caxias, onde emagrecera e definhara antes de ser posto na fronteira e de se refugiar em Paris. Nos anos do mitterrandismo e com a protecção da Internacional Socialista, Soares tornara-se o chefe simbólico e venerado do «socialismo democrático» e a voz prestigiada da oposição ao regime nas tribunas do mundo inteiro. A Junta pusera Portugal a correntes, e havia quem apostasse que as mortes do Campo Pequeno tinham deixado Shultz desvairado, porque tinham permitido a criação de «mártires». O assassínio de Zeca Afonso deixara o país em estado de choque, numa dor silenciosa interrompida por explosões de violência que a Junta soterrava em terror, com a ajuda dos pides, atulhando as prisões. Marcello Caetano, libertado e humilhado, acabaria por regressar à Faculdade de Direito, e, desgostado consigo e com os generais, seria convidado através dos bons ofícios de João Hermano

Saraiva, então embaixador em Brasília, para um posto de prestígio numa universidade do Brasil, onde veio a morrer. Américo Tomás acabaria por resignar, afastado por Shultz e os generais que governavam por decreto militar. A junta campearia até aos anos 80, quando Shultz a dissolvera e criara um regime presidencialista, com ele a Presidente e o Franco Nespereira a Presidente do Conselho. Uma Assembleia Nacional fantoche com uma oposição fantoche servia de fachada ao regime que se aguentou até ao atentado contra Carriaga pela Brigada Sangue Vermelho, um grupo terrorista que, ao contrário da LUAR e da ARA, tinha ligações ao IRA e à ETA e treinara nos campos do Líbano, jurando vingar a memória dos mártires do Campo Pequeno. Com a saída de Nespereira, os tecnocratas e liberais tinham-se unido para obrigar Romão a provocar a reviravolta do regime e promover a transição, a libertação dos presos políticos e a convocação de eleições livres. E, vinte e cinco anos depois do 25 de Abril, o 25 de Abril.

Boavida, que via o Pastos a mexer a boca como num filme mudo, despertou do sono da memória com a voz do outro, num berro

«– Eh pá, e o Nobel do Samarago, hein? Que bofetada no regime, meu amigo, que poderoso estalo nos fascistas, hein? O Samarago é uma referência moral para todos nós, uma referência moral. Um dia, hei-de vê-lo regressar a este país, coberto de honrarias. Ele parece que está à espera do 25 de Abril para apanhar um avião para Lisboa, eu se fosse o próximo primeiro-ministro mandava buscá-lo de avião, e rápido, trazia-o em ombros. Ouve lá, ouvi dizer que o teu

patrão anda com umas ideias de abrir uma televisão privada, quando isto abrir de vez. Parece que a Globo está dentro da coisa. Isto é sic, ou é pra desmentir? E a RTP, quem é que vai ficar com a RTP? Lá se acaba o tacho do Túlio Isidro. Fala-se naquele rapaz que veio da TSF de Angola, o Emílio Rangel, grande homem de esquerda, para a RTP, se os socialistas ganharem as eleições. Sabes o que se diz, isto agora vai ser como no estrangeiro, ganha-se e perde-se com a televisão. Eu gostava ainda de vir a ter um programa meu, uma coisa amistosa, umas entrevistas a antifascistas, sei lá, género das conversas secretas que a gente tinha por aí, a decilitrar nos bares. Seria uma coisa boa para a televisão privada. Pergunta lá ao Valdemão se ele me dá uma mãozinha...»

Boavida, entontecido, estendeu a mão ao outro, que repuxava as pontas do lacinho no pescoço numa indignação repentina e fugiu com delicadeza, com os ecos da voz do Pastos na cabeça, *«cortejo de assassinos, corja malvada, eu se o Shultz fosse vivo gostava de o apanhar na frente, desfazia-o com pancada como eles me desfizeram a mim, malandros...»*

Boavida pensou que Portugal estava cheio daquelas personagens queirosianas (ele mesmo, Manuel Dias Boavida, era um tipo queirosiano). Os destroços da revolução... e acendeu outro cigarro. Mais abaixo, nos Restauradores, olhou para os cartazes do Éden e do Condes, sempre cheios com filmes de Kung Fu que alimentavam a espiritualidade da época. As senhoras apreciavam muito as matinés do Olímpia, um cinema pequenino e recuperado, onde passavam filmes de amor e relíquias do Joselito e da Marisol. Para variar, o maior cineasta português vivo, como era internacionalmente reconhecido, vivia em Paris, o Leonel de Oliveira. Um ciclo dele tinha passado no Éden, mas a agitação dos primeiros dias dera lugar a salas às moscas, apesar dos artigos inflamados do Lebre do Prado a servir de escudo ao mestre contra as setas envenenadas do Alberto-Pedro Vasconcelos. Aquilo era coisa para a Gulbenkian, o templo da cultura, a referência moral da cultura. Boavida saíra a meio de «Le Soulier de Satin», num arrepio de tédio mas reconhecendo que a falta devia ser dele, o mestre era mesmo um mestre. O país definhara espiritualmente durante a ditadura, era o que era. A não ser que aquele tipo que vivera em Oxford, muito malencarado, o Polido Parente, tivesse razão e a cultura portuguesa nunca tivesse existido. O outro tinha-lhe um valente asco, chamava ao Samarago *«o atroz Samarago»*.

Boavida, que tinha horror a polémicas, sacudiu a ideia e resolveu comprar um jornal. A guerra alastrava na Jugoslávia e Portugal, que nunca saíra da NATO nos anos da Junta, apesar de os próprios americanos acharem o regime pouco inserido na aliança atlântica, assistia de longe, neutralizado. Participávamos a reboque, o Romão fizera uma declaração apressada a dizer que tínhamos responsabilidades como membro fundador da NATO, mas que Portugal só tinha um piloto e uma fragata ferrugenta disponíveis. Era pouquinho. Como é que seria fazer parte da União Europeia? Decerto melhor comida e bebida, mais qualidade de vida, talvez uma auto-estrada até ao Porto, ou até ao Algarve. A Ponte Salazar fora a derradeira grande construção do regime, que gastara tudo o que tinha a sustentar o império. Moçambique perdera-se para os brancos, esquemas combinados com Jorge Jardim, que sempre tomara a independência rodesiana como modelo. Hoje Moçambique era dos africanos. Cabo Verde e São Tomé eram nossos, mas falava-se em descolonizar. Macau ia ser devolvido aos chineses este ano, e restavam Angola e Timor, onde a guerra civil era uma ferida sem sarar. Timor, onde puséramos tropas anos a fio, tinha petróleo, e com o apoio da Austrália, que nos comprava o petróleo, íamos combatendo as pretensões da Indonésia, que cobiçava o território com o apoio das Nações Unidas. Mas Timor queria ser livre de decidir o seu destino, e Romão dera como facto consumado que Timor estava perdido e mandara retirar as tropas portuguesas que guardavam os off-shores. A guerra civil começara no dia seguinte. Em Angola, que o ministro Mariano Moreira convertera em Região Autónoma com um Governo autónomo, os brancos aliados à UNITA travavam uma guerra de morte com o MPLA pelo controle dos poços de Cabinda e do Soyo e pela posse das minas de diamantes. A situação era de terra sem lei, e a Luanda branca e tropical adormecia e acordava com tiros. Em São Bento desistira-se de fazer o ponto da situação, e Angola era a prova da degenerescência do regime, com as tropas portuguesas no território sem ordens militares nem orientação política. Dizia-se que Romão não sabia o que fazer com Angola, que fora o sustentáculo económico da ditadura, e queria passar a batata quente a quem ganhasse as eleições. Soares falava em descolonizar, descolonizar de vez e não aos bocados, como tínhamos feito. Nem mais um soldado português em África. Os brancos angolanos, sentindo-se abandonados por Portugal, e receosos de uma África do Sul que se tornara, com Mandela, sua inimiga, pegavam em armas para se defender, e as atrocidades de parte a parte não tinham fim. Angola era terra queimada, terra queimada.

Boavida encolheu os ombros. Se os brancos viessem para o continente ia ser bonito, onde é que íamos metê-los? Guerra de um lado, guerra de um outro, a década era prodigiosa em guerras, havia por onde escolher. Um cheiro a alcatrão derretido empestava os ares. Boavida reparou que andavam a alcatroar os Restauradores, operários de fato-macaco azul espalhavam a pasta com um rolo, enquanto o fumo saía de uns caldeirões em cima de uma fogeira.

Que atraso de vida, rosnou Boavida. Distraído, ia sendo atropelado por um mini no Rossio. No D. Maria ia uma peça de Agustina Luísa Bessa, baseada no Amor de Perdição. Sempre era uma variante ao Frei Luís de Sousa, que ficara em cena durante anos graças a um decreto que obrigara os estudantes e operários a ver teatro e cinema português todos os meses. Havia um sistema de senhas e quem não pedisse as senhas na escola e local de trabalho, via-se em apuros. A ditadura pretendia assim proteger a cultura nacional, mas a dieta de medíocres cineastas e dramaturgos do regime revelara-se nociva «ao amor pelas nossas coisas». Os portugueses, uma vez libertos do preceito, vingaram-se no Schwarznegger e no

Spielberg. Exigiam a reabertura do Parque Mayer e o regresso do teatro de revista, mais uma promessa do 25 de Abril.

Boavida meteu pela Rua do Animatógrafo e o passinho, ao sentir o cheiro a bacalhau e grão das tascas da Baixa, tornou-se-lhe leve como pluma. A maior invenção nacional, nem protegida nem subsidiada, a tasca, a tasquinha. Um grau acima da taberna, um grau abaixo do restaurante. Na tasca do Tóino, uma tasca afamada pela alheira com grelos e os pastéis de bacalhau, esperava-o o amigo, um tipo rotundo e bonacheirão que, não sendo católico nem maçon, os topava a todos. Amante de copos e serões, era conhecido pelo Opus Night. Compunha letras para canções de combate, dedilhava uma viola romântica e perseguia mulheres como um marialva. Era um tipo capaz de afrontar um touro, e a sua frase favorita, que ele cuspia com nojo, era «é *um invertebrado!*». A maioria da humanidade, com excepção dos múltiplos amigos de todas as cores, era constituída por «invertebrados». Fontes, o que é que contas?

E Boavida sorriu pela primeira vez naquele dia, ao reparar que o outro trazia na mão um romance do Hemingway.

«— Eh pá, só tu é que ainda lês o Hemingway, lê os poetas, oh Fontes, lê os poetas!

— Seja mais respeitoso, menino, que o seu mal é ler poetas a mais. E vê lá se o Valdemão me paga este almoço! Oh Tóino, duas alheiras para esta mesa e a carta de vinhos, que no tinto eu sou esquisito. Vamos ter toiros de morte, bebamos aos toiros de morte. Não adoras esta de o PPD andar num

rebuliço por causa daquele puto fascistóide, o Paulino Portas, que pôs tudo à tareia? Parece que o Cavaco Relvas e o Darroso, Il Rosso, que se preparam para fazer a vida negra ao Soares nas eleições, tiveram de meter o puto e o Marcelo na ordem, andavam os dois pegados numa zaragata. O puto é lixado, é pior que o gajo da Madeira, onde ele se mete dá cizânia da grossa. Parece que o puto, que andava a tentar entrar no PPD depois de o CDS lhe ter dado com os pés também por causa de umas intrigas, era o verdadeiro autor de um artigo naquela revista, «Vida Independente», no qual chamava ao Marcelo lelé da cuca. O puto, já numa vigília ao Salazar dos camisas pretas, tinha ele meia dúzia de anos, pegara fogo à casa, com uma vela. Parece que foi sem querer, mas os salazarinhos queimaram-se a valer. Cá para mim, o puto gosta de ver efeitos especiais. Cambada de invertebrados!

— Oh Fontes, lá nos socialistas as coisas também não andam um luxo. Parece que o Soares tem os soaristas, o San-Payo os san-paystas, o Gutierrez os gutierristas, o Gama os gamistas, o filho do Soares tem os segundos soaristas e até o teu amigo Alegria tem uma facção, os guevaristas. Isto é a balcanização do PS, oh Fontes, agora que o Soares precisa de ter o partido todo atrás dele para bater o Cavaco nas eleições. E olha que o Cavaco sabe fazer as contas, o Relvas é economista e a gente precisa agora é de gajos que saibam fazer contas de somar e de subtrair.

Ah é, meu filho? E quando o Soares andava a levar com o pau nas costas onde é que estavam o Relvas e o Darroso? Na universidade, no estrangeiro. Quando o Soares estava dentro, os tipos estavam fora. O Soares é uma referência moral, uma referência moral para todos nós.

– O Soares foi dentro porque veio ao engano, a pensar que os capitães tinham a coisa controlada. Senão o Soares também ficaria de fora, na universidade, como o Relvas e o Darroso. E agora os da universidade de fora andam embrulhados com os da universidade cá dentro, a democracia é a arte dos consensos, nunca ouviste dizer? Além de que temos referências morais a mais, o que não nos falta são referências morais!»

Boavida estava a gostar do almoço, do seu tom e elevação. Algures, ouvia-se uma canção de Sérgio Godinho, que viera do exílio e estava na moda, ele e os outros cantores da resistência, os «censurados», deitando abaixo a hegemonia da música pimba. Os pimbas estavam em pânico, o povo queria ouvir a Pedra Filosofal, era um desatino.

Boavida, aquecido pelo Barca Velha (o Valdemão ia ter um ataque) e o sabor amargo dos grelos e do páo de milho, redescobriu um súbito gosto pela vida, assim, a discutir política à mesa sem olhar por cima do ombro, com medo dos bufos e dos criados. De toda a gente. O regime vivera anos e anos do medo, condenando os portugueses a uma mudez taciturna, forçando-o a curvar a espinha perante a autoridade. O país, fingindo dar o braço a torcer, fizera um manguito. Na rádio, a vozinha trémula e efeminada de Salazar era o entretenimento dos domingos, um programa chamado Recordar é Viver, apresentado por Augusto Agostinho e que fazia rebentar de riso o pessoal do contra. As anedotas circulavam à velocidade da luz, e os livros, canções e cassetes de filmes proibidos passavam de mão em mão como castanhas no São Martinho, quentes do carimbo vermelho da censura.

Boavida encerrou as costas largas do Opus Night num abraço, ambos toldados e reconciliados com a pátria, gabando as querelas dos partidos como um sinal de vitalidade democrática (eh pá, deixámos de ser uns invertebrados) e pronunciando em coro, ao erguer o copo (duas garrafas de Barca Velha, ai o Valdemão) numa saúde à liberdade, a pátria precisa de todos, a pátria precisa de todos. *«Olha, o verdadeiro 25 de Abril nunca existiu, foi morto à nascença. O que existiu foi o 26 de Abril, um estupidamente longo 26 de Abril»*, berrou Opus Night numa despedida.

Boavida fechou ali o inventário do dia. Cá fora, deslizava uma tarde mansa, e Lisboa cheirava a madressilva, a sardinheira e aos pinheiros da encosta do Castelo. Boavida olhou o relógio e reparou que a conversa com Opus durara até às quatro, a tarde sumira-se, uma tradição jornalística que ele não desprezava, esta de acabar os almoços à hora do jantar com meridional indolência. Resolveu meter pela Rua dos Fanqueiros e bater os calcanhares até à Sé, subir até à Cerca Moura, descer Alfama a pé. Perdido por cem, perdido por mil, já agora dava um passeio e ajudava a digestão como pretexto («Sigamos, pois, o cherne»). O O'Neill é que sabia. Ao chegar a Santa Apolónia, duas horas mais tarde, o sol já se deitava sobre o rio, afogueando-o. Exausto, Boavida procurou um carro verde e preto. Nem um táxi na estação, àquela hora. Tentou fazer sinalefas aos que passavam, num desespero. Um parou com as rodas quase em cima dos pés dele. O senhor vai para onde? Telheiras, vou para Telheiras. Telheiras é fora de portas e eu estou fora de turno, são dois contos de réis. Ah, espera aí, o senhor não é aquele jornalista que apareceu outro dia na televisão? Eu não o tinha reconhecido, se é para o senhor jornalista é o que o senhor jornalista quiser.

Em casa, Boavida contou o episódio à mulher, fazendo de Fradique Mendes. Ele nem sabia o meu nome. Humilhação incomparável! Senti logo não sei que torpe enternecimento que me amolecia o coração. Era a bonacheirice, a relassa fraqueza que nos enlaça a todos nós Portugueses, nos enche de culpada indulgência uns para os outros, e irremediavelmente estraga entre nós toda a disciplina e toda a ordem. Sim, minha cara esposa... Aquele bandido conhecia o senhor jornalista. Tinha um sorriso brejeiro e serviçal. Ambos éramos portugueses. Dei dois contos de réis àquele bandido.

O Eça é que sabia.

OS DIAS DE DURBAN

Chove tanto, tanto. A minha alma é húmida de ouvi-la. Tanto... a minha carne é líquida e aquosa em torno à minha sensação dela.

O meu nome é Álvaro. Atravessei durante uma noite um continente, parei em três aeroportos, tudo para chegar aqui, ao cabo de África, à procura de um fantasma. E agora, que corro às ruas a procurá-lo, com um caderno amachucado dentro do bolso de um casaco de linho tão amachucado como o meu caderno, não sei o que fazer com este fantasma. Não sei sequer se este fantasma existe ou se eu o inventei ou se ele se inventou para me perder tantos anos depois. Temos o mesmo nome, o meu fantasma e eu. O segundo nome dele é o nome de todos nós.

Pessoa que continha em si todos os sonhos do mundo e às vezes, e só às vezes, todas as pessoas do mundo embora não gostasse de companhia.

Chove em África no dia em que chego a Durban. A cidade parece-me embrulhada no céu pesado da tarde, feia e deserta e molhada de chuva. No hotel da Baixa onde largo a mala não se vê um hóspede. Os criados fardados estão mudos, como se estivessem por detrás de um vidro, a pele castanho-escura a brilhar. E não se vê nestas ruas de domingo um branco passar. Negros andrajosos encostam-se nas soleiras das portas, a roçar o corpo nas esquinas, os olhos saídos numa ameaça. Onde está a vida de Durban? Onde está o calor de África? Ela nunca me falou assim de África. Na voz dela, África cheirava a calor e a aragem. O frio parece de Lisboa, a cidade das casas tristes onde vivo metade do ano e donde parti para esta perseguição, este safari. Pessoa, caça grossa, personalidade impossível de aprender, biografar, compreender. Não que seja essa a minha missão. Não sou um biógrafo nem um pessoano. Nem sei por que escrevo isto, este diário dos dias de Durban. Quantos serão?

Sou um engenheiro que gosta de livros e de viagens, e acredito mais nas máquinas do que nas pessoas. As máquinas não falham tanto. Vivi em Inglaterra, dei aulas, estou no meu ano sabático. Cheguei a Pessoa por acaso e por causa de um desgosto. A mulher que eu amo matou-se. Matou-se de depressão e melancolia – uma doença terrível! –, disseram os médicos. Matou-se com comprimidos e deixou ao lado da cama um livro aberto de Fernando Pessoa, que eu mal tinha lido, e me aparecia poeta demasiado ensimesmado, o dono de um território onde era proibido entrar. Ela gostava de Pessoa, sobretudo de um deles, Álvaro de Campos, o engenheiro. Não saberei se gostava de mim por eu ser Álvaro e engenheiro. Achamos sempre que os outros não se matam se nós existirmos o suficiente.

Sei que depois da morte dela, quando andei a folhear os livros à procura dela, dos sinais, de uma razão para a despedida súbita, encontrei Fernando Pessoa como se ele tivesse estado à minha espera. Por esse tempo eu chorava muito, naquela falta dos mortos que apaga a memória do amor, a memória da felicidade, a memória de uma vida anterior onde as pessoas riam e tinha a pele a escaldar. Entrava pela minha noite a ler-lhe os poemas, cumprimentando os heterónimos e respirando a solidão dele e o pessimismo dele e um desassossego tão parecido com o meu. Eu andava perdido e Pessoa fazia de bússola, dava-me uma mágoa maior, uma noite maior. Os meus olhos ardiam nas palavras e ele parecia-me um irmão vindo do outro lado da morte para me consolar. Comecei a querer saber mais, donde vinha aquele espírito inquieto e tão pouco português na disciplina do génio. Tornei-me sem querer um pessoano por afinidade e gosto mais que por saber e estudo. O que me desassossegava era a personalidade, mais do que a personagem. As viagens incumpridas de um viajante imenso, cósmico. Pessoa atravessava as galáxias em pensamento e recusava-se a sair de casa. Habitava quartos e cafés e vagueava de madrugada sobre o cais, olhando os telhados. Como ele, vagueei madrugadas na luz violeta do Tejo e persegui-o primeiro na cidade onde nasceu, como eu, para o vir perseguir aqui, nesta cidade que foi a única para onde viajou, onde viveu e estudou. Onde deve ter sido feliz.

Afinal, eu nunca tinha vindo a África. E ela nasceu em África. Certas viagens são um desígnio.

Nas minhas noites de relento, e nas minhas lágrimas, perguntei-me muitas vezes se ele teria chorado alguma vez. Pessoa chorou? Alguma lágrima caiu um dia, uma noite, por aquela cara chupada onde os olhos nunca olham a direito? O olhar oblíquo de Pessoa, o seu modo de dizer que está lá sem estar na fotografia. Se chorasse, e chorar parecia-se com uma imperdoável fraqueza, não seria o meu Pessoa. Eu acho que ele simplesmente escrevia, e bebia, e andava. E contemplava. Achava-se, de repente, sozinho com as estrelas. Não amava. Se amasse, não teria escrito. Hoje, por exemplo, confuso e torturado, arrependo-me de amar, de ter amado.

Sem ele, sem a pessoa dele, talvez eu não estivesse aqui hoje, quero dizer, aqui neste mundo, e não aqui, em Durban. Ela conhecia bem Durban porque era de Moçambique, o país do lado onde não sei se irei, se terei coragem. Os meses rolaram por cima de nós os dois, ainda a tenho comigo. Já não choro. E agora, que me ofereci mais de trezentos dias para pensar e viajar, resolvi empreender esta viagem, a primeira que faço à África do Sul. Não sei o que procuro, não sei se persigo o homem se o menino Fernando, se bato a uma porta fechada com uma chave que se perdeu. A infância e a adolescência explicam-nos, dizem os médicos que acham que a tristeza é uma doença com cura como as outras. Não é.

Desta vez, comprei os livros, li os biógrafos, antes de partir para este lugar. E descobri que sobre Durban eles sabem tão pouco como eu, apenas apontam datas e dados, certificados, papéis guardados, pequenos nós de certeza num novelo de confusão. Por onde começar?

Ele chegou de barco, com a mãe e um tio, porque as senhoras não viajavam sozinhas. O padrasto, o comandante João Miguel Rosa, tinha sido nomeado cônsul de Portugal em Durban, no Natal, uma colónia inglesa. Como seria a cidade em 1896? Trinta mil habitantes, uma cidade de pioneiros, dura como esses colonos duros que se odiavam entre si, ingleses e bóeres na disputa de terra que tomaram para eles como um direito próprio tratando os nativos como escravos. O Natal dos orgulhosos zulus, o povo de Shaka, reduzido a chão para os pés dos deuses. Durban foi motivo de uma guerra por causa de um porto. O porto de Durban nas águas do Índico era a rota para o caminho das Índias, o porto que Vasco da Gama avistou em 1497 já dobrado o Cabo da Boa Esperança ou das Tormentas, e nunca um cabo teve dois nomes tão desiguais. Oh mar salgado! Dizem que o mar aqui, uma vez cruzado e abandonado o Atlântico, parece tornar-se mais doce, como o clima que vai aquecendo até encontrar o sopro do calor da costa de Moçambique. O calor verdadeiro de África.

Pessoa em África, e na mais terminal, a mais longe das Áfricas, tentando esquecer Lisboa. E em Lisboa, terá tentado esquecer África? Ela dizia que África nunca se esquece, é uma persistência dos sentidos. Ele veio em Janeiro, uma viagem de mais de quarenta dias, o barco parado nesses portos da costa africana. No Funchal, apanharam um barco inglês.

Perto do hotel está o Da Gama Clock, numa avenida larga e verde, não muito longe da entrada para o porto. Operários negros descansam na relva. O relógio, do século passado, está parado dentro de uma espécie de quiosque que serve de redoma e de banco. Ninguém liga ao relógio desligado. O meu motorista, um indiano gordo e com um inglês impronunciável, nunca ouviu falar de Pessoa mas sabe quem é o Da Gama. Durban ainda tem muitos portugueses, uma comunidade afluente e integrada. A comunidade indiana tem como bandeira Gandhi, o ilustre estrangeiro de Durban. Nós temos Pessoa, um busto discreto num largo com o nome dele, inaugurado nos anos 80, a década dos centenários. Ontem estive lá, é perto do hotel, e quase em frente à Câmara Municipal. Ninguém repara naquele torso magro de um homem de chapéu e óculos, rosto sumido, em contraste com estes negros fortes e luzidios, tão redondos e tão abastados de carnes. A Baixa hoje está cheia de gente, quase toda negra, para cá e para lá, a azáfama dos serviços e do princípio da semana. Uma população que anda muito depressa, como se todos quisessem recuperar o tempo perdido. Ou é impressão minha. Eles passam ao lado de Pessoa sem o verem, imóvel no pedestal de palavras gravadas em português e inglês, as duas línguas.

O que tem Pessoa que ver com esta nova África do Sul, esta tensão das hierarquias da pele, este parque de flores com um larga fita dos mortos da sida no meio, este monumento aos mortos da praga? Nada. Pessoa não está aqui.

Vou ao porto, vou ver o mesmo lugar onde aportou o navio. Nesse tempo, o navio não podia entrar na baía de águas de areia e era obrigado a ficar ao largo. A família deve ter descido em chalupas, com o comandante Rosa à espera de poder abraçar a mulher. Fernando tinha sete anos, ia fazer oito. Tinha apenas para viver mais 40 anos. Tanto?

O consulado era na West Street, a rua principal da Baixa de Durban, que leva ao mar, às praias do lado oposto ao do porto. O senhor cônsul terá levado a família para um hotel, o Ocean View, talvez porque a casa, no edifício do consulado, ainda não estava pronta a recebê-los. Que terá a criança sentido ao ver um casario de madeira e zinco, de pedra e tijolo, ruas com carroças e carruagens, a arquitectura imperial dos edifícios públicos? E o pó, as ruas feitas de pó que se infiltrava nas bocas, nos cabelos? E o cheiro do mato?

Divago, eu sei, mas era assim Durban, nas fotografias. O Museu da Cidade diz-nos que esta cidade ruidosa e encalorada deve ter assustado o menino de olhos fundos que vinha do fim da Europa para o fim de África. Não se erguiam na Baixa os arranha-céus de cimento e vidro que tapam a vista das colinas a partir do mar, mas, as ruas já tinham estes nomes. Grey Street, Smith Street, West Street. O consulado era uma casa grande, de século XIX. O cônsul, um homem grande e forte, de rosto aberto, deve ter pegado no menino ao colo, para o sossegar. A família era pequena, ainda. Eles três. O pai morreu tinha ele cinco anos. O irmão, Jorge, morreu no ano seguinte, mal nascera ainda.

O porto é o primeiro lugar onde reencontro o passado. Os navios estão pousados na água como grandes aves negras, petroleiros do Golfo Pérsico ao largo, cargueiros de cordas grossas como árvores, e um mar de chumbo esfaqueado pelo céu da mesma cor. Os silos do açúcar parecem uma cidade do futuro, casas sem janelas, e as gaivotas gritam para abafar o marulho das ondas. Qualquer coisa neste oceano é profunda e grave, é a paisagem dessa Vida Marítima de que fala o outro Álvaro, o Campos. O que amava o destino dos vapores comerciais, o ritmo das máquinas. Já não existem navios a vapor. À entrada do porto, The Bluff, uma colina coberta de floresta e formada como o dorso de um animal, um hipopótamo, dizem. E, do outro lado, The Point, a ponta onde a terra acaba e o mar começa. As ondas estilhaçam-se no molhe, pingos de água grossa caem das nuvens. Chove, ainda. O vento sacode os mastros dos barcos na marina, e o Índico parece uma navegação de perigos e de presságios, de adamastores e outros monstros de Luís Vaz. Quando Fernando chegou devia estar calor, muito calor, e como ele deve ter odiado o cheiro dessa natureza que o entediava em terra. Não creio que ele odiasse o mar, ninguém escreve uma ode ao que odeia. O mar apenas separou a sua vida ao meio. Separou a criança do adulto, e o adulto nunca mais regressou ao país da criança.

Que faço eu aqui? Não venho como Churchill, em Dezembro de 1899, vindo de Lourenço Marques depois de fugir de uma prisão no Transval. Não venho como herói, para salvar a colónia e ganhar a guerra dos bóeres. Não venho como os outros criadores de civilização, Milton e Shakespeare, os únicos que Pessoa respeitava. Não, não creio que lhe interessasse a chegada de Churchill ao porto, acolhido em peso pela população de Durban. Nesse dia, sem aulas, Fernando deve ter ficado com os seus livros ingleses, as colecções. Coleccionava selos, gostava de charadas. Aquela guerra passou-lhe ao longe, ele preferia a biblioteca e o prazer de ter um livro para ler. Gostava de *The Pickwick Papers,* de Charles Dickens, um dos escritores que lhe revelou o espectáculo do mundo.

Matricularam-no à chegada, em 1896, numa Convent School, uma dessas escolas dentro dos conventos, dirigida por freiras irlandesas, e aí fez todo o curso primário em três anos, entrando na High School com 11 anos, em 1899, e não com 13 como os outros rapazes. Fez na primeira escola a primeira comunhão, e deve ter ido à missa, e dessa fé imposta como uma liturgia não restaram pela vida fora vestígios de devoção. A escola seria na West Street e dela nada resta. A West Street é uma rua que leva à Ocean Parade, uma promenade em frente ao oceano desenhada no século passado, não, no outro, o passado é o século xx.

A rua vai-se tornando mais dúbia e mal frequentada conforme se aproxima do mar, e conforme a hora do dia. A partir das oito da noite, a West Street é um pesadelo, e, antes das luzes dos hotéis e da Ocean Parade, casas de passe, chulos e prostitutas escuras tapam as portas das casas e hotéis. Resta pouca arquitectura do tempo de Pessoa, uma ou outra casa de zinco e madeira rendilhada, restos de um passado mais amável do que estes corpos baratos. Os brancos não passam ali de noite, com medo dos crimes da nova história da África do Sul, e dos roubos, das violações. Os turistas que enchem os hotéis da Ocean Parade temem a West Street e não saem do abrigo dos restaurantes, onde bebem cerveja e comem camarões do Índico servidos por negros. Num dos endereços do consulado, o n.º 157, está hoje um stand de motores e carros e barcos. Nem reparo, não me interessa porque nada resiste. Ao lado de um hotel de acaso e em frente a um bordel. À noite, as sombras deslizam rente às paredes. De dia, vê-se uma igreja anglicana, antiga.

Na cidade travam-se invisíveis lutas. Entre o passado e o presente, entre a história do apartheid e a história da libertação, entre o período colonial e o da independência, entre os africanos de África e os africanos africânderes, holandeses, e entre eles e os ingleses e indianos. Entre pretos e brancos. Entre hindus e católicos e zulus e muçulmanos. As camadas de civilização não tapam todas as feridas abertas por anos de humilhação. Eles desconfiam uns dos outros.

Nas ruas em volta do Victoria Market, o bazar da comunidade indiana, erguem-se as mesquitas muçulmanas, e um templo hindu, acotovelando a catedral. A mistura das peles, nesta África, é como a mistura das especiarias. Mas, nem todas ligam. Canela e caril, cominho e cravinho, pimenta e noz-moscada.

No tempo de Pessoa só existia uma classe com plena potestade, a dos ingleses. A dos donos e colonos. Os criados eram negros. E ainda são. A família teve um criado que falava português, um negro vindo de Moçambique e crismado de Saturnino. Tão apropriado para o menino Fernando, o menino que assim chegado começou logo a falar inglês. Onde estás tu?

O n.º 157 da West Street desaponta-me. O concessionário de motores é uma desolação comercial, um depósito de máquinas a que só o meu outro Álvaro, o Campos, acharia graça. Se achasse. Na esquina, o hotel de passe oferece quartos a preços módicos às ligações fugazes do prostíbulo do outro lado da rua, iluminadas a néon. E eu detenho-me com atenção neste hotel, gosto dele, tem qualquer coisa da época, o longínquo princípio do século xx, o século do Pessoa moderno. O hotel é quase, quase do tempo do meu fantasma, e parece abandonado, como o tempo, como o meu universo vazio. Do consulado, resta-me esta memória de Pessoa num quarto alugado à hora, numa arquitectura delicada, tão diferente dos prédios que arranham o céu em frente ao porto, monólitos na paisagem, estátuas do século que há-de vir. Vou até à Ocean Parade, donde assobia nos meus ouvidos um sopro oceânico, que parte das ondas engelhadas de ventos, das espumas, dos sóis. Meu ser ciclónico e oceânico, clamava o Campos. Campos já não mora aqui.

Deste Índico de cinzas e raiva branca, de areia escura, fica-me a ideia de uma longa estrada de mar, a estrada que vai e vem do Golfo Pérsico, carregada dos barcos do petróleo, carregada da energia do século XX. Navegam nestas águas os tubarões e os surfistas e por mim passa vinda da praia, na promenade iluminada, uma mulher loira com uma perna esfacelada, arrancada pelos dentes da fera do mar. O surf, no tempo do meu menino Pessoa, era uma vaga a transbordar de mar, não era uma prancha, não era um desporto. Talvez eu carregue esta insuportável nostalgia do passado, de um tempo mais tranquilo em que na costa se ouvia a fortaleza do vento, apitavam as sirenes dos navios. E nas ruas o coquelicoque dos cavalos em vez das rodas dos carros. Uma nostalgia do silêncio. Pessoa deve ter olhado este mar, impossível não ter olhado este mar e amado pela primeira vez aqui, na cidade de Durban, os portos e os cais, os lugares da transição do sentimento, das partidas e das chegadas. Eu creio por vezes que nós, portugueses, ficámos parados em Portugal como Pessoa em Lisboa a olhar o Tejo. Chegámos a Portugal depois da viagem a África e ao Oriente e nunca mais conseguimos sair, fomos obrigados a fazer do pequeno país o pequeno lar que todos detestamos a intervalos. Camões no Oriente e Pessoa em África deveriam ter-se cruzado aqui, aqui perto, nos escolhos e precipícios do Cabo das Tormentas, na dobra do Atlântico, quando o viajante imóvel e o viajante inquieto se rasparam um ao outro e definiram um sentido para o pequeno e absurdo país Portugal. Não se podiam ter amado estes dois, porque um é o contrário do outro, e ambos são o nosso apogeu e queda, a nossa ascensão e morte. E no entanto, nunca me interessou, a mim, amante de Pessoa, o Pessoa mitológico e mensageiro, o Pessoa reinventor do lusíada. Não. Prefiro-lhe o Pessoa íntimo e solipsista e magoado, o que os biógrafos errados chamam o Pessoa falhado. De todos nós, ele foi o que mais acertou e menos falhou, porque falhar a vida é nada, falhar o destino é que é fatal.

Imagino-o aqui, parado em frente ao oceano, de calção, perscrutando o futuro, a morte, a infância dele, não a infância junto ao rio, de Álvaro, a infância dele junto ao mar, de Fernando.

Na África do Sul nasceram ao menino Pessoa mais cinco meios-irmãos. Duas irmãs morreram em crianças, Madalena Henriqueta e Maria Clara. Talvez um dos primeiros poemas, sobre a ausência de alguém que se ama, tenha sido escrito por causa da irmã Madalena, cinzas que a família transportou no navio para Lisboa, em 1901, quando o cônsul teve licença para permanecer um ano em Portugal. Desse ano lisboeta e largo não quero saber, é aqui que eu tenho de o encontrar, onde os outros nunca o encontraram, onde ele não quis deixar sinais.

Moraram em várias casas, no bairro de Berea, um bairro colonial, de moradias confortáveis e sombreadas por muros e jardins. As ruas estão perfumadas e cobertas de flamboyants e jacarandás, de acácias amarelas, fileiras de árvores de cor, a promessa de um dia ameno depois da chuva.

Hoje fico-me por aqui, nesta placidez não muito distante da que a família do cônsul conheceu. Placidez de branco rico. Os muros faíscam ao sol e as buganvílias e os hibiscos disputam-se com o jasmim. Estas avenidas belas, um mundo à parte do da Baixa de Durban, onde estes habitantes quase nunca põem os pés, atestam o privilégio. Caminho ao acaso, perco-me, os portões e garagens protegidos por letreiros a dizer «Armed Response», Resposta Armada. Os brancos circulam em carros de luxo, e os negros recolhem o lixo e limpam e regam as plantas e flores. Cafés e restaurantes americanos fazem Berea parecer-se com Beverly Hills, onde aliás nunca estive. E quem precisa de estar nos sítios para os conhecer? Este sítio reconheço-o, aqui um menino sorriu e brincou com os irmãos pequenos, e merendou, e ouviu música ao serão, e encafuou-se no quarto a ler, a ler os livros da vida. Aqui, este menino foi da sua infância como somos todos, mas não a infância infeliz dos génios, antes a infância feliz de uma mãe culta e atenta e de um padrasto generoso e protector. Na escola, o menino pode ter sido vexado, torturado pelos colegas, por causa da sua fraqueza física ou do seu perfil semita mas, aqui, em Berea, foi da ternura que o génio despontou.

De vez em quando, num rasgão de uma rua, avista-se muito lá em baixo o azul do Índico, com as aves dos petroleiros pousadas em cima da água, como as gaivotas do estuário do Tejo.

Numa das ruas, o Colégio Stella Maris, colégio de meninas, onde andou uma irmã de Pessoa. Na outra rua, a St. Thomas, a escola dele, a Durban High School. A escola que o formou, que lhe deu a língua inglesa e a educação britânica que fizeram dele o cavalheiro que era quando morreu. Atencioso, contido, nada expansivo. Nunca te queixes, nunca te expliques. Afinal, que pretendo eu de Durban? Não, certamente, uma explicação para o génio.

Não, certamente, uma explicação.

Durban tem qualquer coisa. Por que razão Fernando rasurou Durban, e África, da sua obra? Ficaram na Arca pedaços de recordações, ficaram os registos da escola, as notas dos exames, ficaram as palavras nas cartas aos amigos dele, ficaram o que os arquivos guardaram, e não guardaram muito. Ficou o jornal, *The Natal Mercury*, onde colaborou e travou uma polémica com um dos seus professores, sob o nome de Charles Robert Anon, um dos primeiros heterónimos. O jornal é agora um prédio novo, moderníssimo. E ficaram os arquivos do jornal. Ficou o que ele mesmo disse quando falava de Durban mas, de tanto ano, é tão pouca coisa. Nada. A família viajou por várias casas, a da 10th Avenue foi onde viveu mais tempo. A casa não existe hoje e confunde-se com outra morada, na 11th Avenue, embora a explicação possa ser dada pelo facto de a casa dar para ambos os lados, e ter um jardim que ia de uma avenida à outra. No *Natal Almanac and Register,* lá estão a morada do Comandante Roza, com z, e a do Consulado, o 157 da West Street. Sobre as moradas de Ridge Road, ou de Musgrave Road, ou de Cowey Road, que seria a da 10th Avenue, nada sobra a não ser a imaginação que observa o asfalto e estas casas bordadas a canteiros de flores, com varandas e garagens e armed response. Na fotografia do cottage, o menino está com a família, uma casa de altura, empoleirada numa escadaria. Como seria o quarto de Pessoa dentro dessas casas com crianças e a felicidade da infância? Sei que lhe recitaram a Nau Catrineta, A Bela Infanta, que eu ainda li nos meus livros de leitura. Não pode ter sido só Milton e Shakespeare, os gregos, os românticos, os realistas. A admiração por Carlyle. Isso foi a escola, foi também a educação clássica do reitor W. H. Nicholas. Em casa, uma certa puerilidade deve ter sido apreciada. Cantada. Entoada. Todos temos direito a ser ingénuos antes de ser génios, e o menino foi criança, ainda que não por muito tempo, não por muito tempo. Todos temos direito a ser o menino de sua mãe.

«Nunca senti saudades da infância; nunca senti, em verdade, saudades de nada. Sou, por índole, e no sentido directo da palavra, futurista. Não sei ter pessimismo nem olhar para trás. (...) Tenho, do passado, somente saudades de pessoas idas, a quem amei; mas não é a saudade do tempo em que as amei, mas a saudade delas; queria-as vivas hoje, e com a idade que hoje tivessem», escreveu ele a João Gaspar Simões em 11 de Dezembro de 1931. Também eu, Fernando, também eu. Queria-a viva, hoje, a mulher que amei, amo, com a idade que tivesse.

Creio que mentia, como todos os escritores. Ou fingia, como todos os fingidores. Queria-o eu vivo, hoje, com a idade que tivesse? Não. Fernando, o menino de Durban, morto no Hospital de S. Luís dos Franceses, por entre o azulejo e o azul de Lisboa, o equívoco de Lisboa, o tremendo equívoco de Lisboa, tão azul e tão triste, tão claro e tão ténue, tão distante do mato de África. Fernando lia, brincava com os irmãos, é certo, talvez se fechasse depois dentro do quarto a cogitar em inglês, a ser em inglês, a sua língua de trabalho e pensamento durante esses anos sul-africanos, antes do regresso da caravela, do regresso ao túmulo.

E sou outra vez a criança feliz que nunca fui.

Que digo eu? Porventura confundo o meu desgosto de Lisboa com o de Pessoa? Ou persigo nele a minha desventura? O meu Chevalier de Pas, o cavaleiro de coisa nenhuma? Tal como ele, não tenho lar, deixei de ter lar, essa vulgaridade. A morte liberta-nos destes pormenores. Ou o génio. Que digo eu? Para mim, a morte, para ele, o génio. Reparo que vim a Durban por qualquer coisa, para qualquer coisa. Será que me quero matar? Ou não me quero matar? Será que quero matar outra pessoa, outro Pessoa? Enlouqueço, mansamente, como todos os tímidos.

Passemos ao concreto. Tenho de ir à escola, ao que terá sobrado desse lugar que formou o espírito do meu poeta. Uma amiga que por Lisboa tenho, jornalista, contou-me que foi com Mário Soares numa viagem à África do Sul, em Novembro de 95. Deixaram um painel de azulejos na Durban High School, in memoriam. Ela impressionou-se com aquilo, as salas de aula, os campos de jogos, o mogno da instituição inglesa, a fábrica do civil servant, a fábrica do servidor do império. E disse-me que aquela não era a escola original, o edifício fora destruído e reconstruído por volta dos anos 70. O furor demolidor e modernizante do século xx, da reconstrução da história, do apagamento da pedra, como quem julga apagar giz na ardósia do tempo.

Subo a St. Thomas Street a pé, vagarosamente, depois de um expresso num café desta Beverly Hills. Não sei o que vou encontrar e tenho medo porque esta escola é importante demais, esta escola é a forma, como forma de sapato, a forma, como forma de alma, do Pessoa lusitano que herdámos e que é tão britânico nos modos e na biblioteca, apesar de nascido em 13 de Junho, de se chamar António como o santo, Fernando António Nogueira Pessoa, que ele, numa determinada fase da procura da caligrafia exacta, assinava Pessôa.

Com 11 anos Fernando entrou na Durban High School, a 7 de Abril de 1899, dois anos adiantado em relação aos seus pares. Hubert D. Jennings, um professor da escola nos anos 60, que descobriu Pessoa tarde como todos nós e tardiamente se apaixonou por ele, escreveu uma história da escola, e do lugar que Pessoa ocupou nela. *The D. H. Story,* 1866-1966. Jennings descobriu Pessoa através do interesse pelos dias de Durban de uma professora de Coimbra, Maria da Encarnação Monteiro, autora de um livro chamado *Incidências Inglesas na Poesia de Fernando Pessoa,* de 1956. O ano em que eu nasci. Entro na escola.

Tijolos vermelhos, redbrick, um porteiro negro, campos relvados, alunos que correm com ar corpulento e loiro, sadio. Meia dúzia de indianos. Raros negros. Como Pessoa deve ter destoado fisicamente neste lugar de atletas e compleições fortes, de jogadores de críquete e fardas engomadas. Luzia a sua vida intelectual, o seu cérebro aplicado e diferente, onde os outros luziram o músculo e a força. Os colegas mal se lembravam dele, com excepção de dois ou três. Clifford Geertz lembrava-se que era o mais sério competidor aos prémios académicos e exames escolares. O reitor, W. H. Nicholas, puxou pelo pequeno português, bilingue, devorando os princípios de Euclides e as declinações latinas, sofrendo de falta de vista, que lhe dava um andar desengonçado e um olhar altivo. A ele deve o menino muito da sua literatura inglesa e da sua formação clássica. Isolado e melancólico, o futuro nevropata, nas palavras próprias, padecia de severa introspecção. Sentava-se e escrevia, negando a sexualidade adolescente.

«E aí, o novo ser que eu tanto temia entrou em acção e assumiu uma vida humana», diria mais tarde de si.

Entro na biblioteca, um lugar fresco e arrumado, e numa estante, por baixo dos retratos a óleo dos reitores, estão livros de época, encadernados, enfileirados como soldadinhos de chumbo. Os que restam, tudo o resto desapareceu, na voragem da história recente da África do Sul. No tempo de Pessoa, o passado era outro país, a colónia inglesa do Natal. Agora, é o país de Mandela, o país da desgraça de que fala o romancista Coetzee. Na biblioteca existe uma montra que recorda Pessoa, o aluno ilustre, cheia de recortes de jornais, iguais aos do arquivo. Tectos brancos, fardas expostas noutra vitrine, rapazes de um metro e oitenta passam por mim sem me ver, eu que sou pequeno como todos os portugueses. Talvez eu esteja dentro da vitrine. Imagino Fernando, como Jennings o imaginou, numa aula do reitor Nicholas, passando de Platão a Voltaire sem problemas, volteando. Mudo, franzido, franzino. O actual reitor, o professor Bennison, é um historiador, e arrepia-se das invenções ficcionais de Jennings na sua história da D. H. S. No seu gabinete, onde sou recebido, confessa-me que sabe pouco de Pessoa e que foi lê-lo por minha causa, quando lhe escrevi a pedir esta conversa. Quem sabe mais sobre o poeta é a professora de português, Gilda, que ensina a língua de Pessoa aos meninos sul-africanos, alguns descendentes de portugueses. O painel de azulejos inaugurado pelo presidente Soares lá está, pregado, e eu olho em redor, os campos, as árvores altas, um retalho de mar, casas tapando o horizonte. O reitor Bennison diz que dantes se viam dali as casas da Baixa, o porto, the Bluff and the Point, antes do progresso, das torres.

A escola guarda, apesar de tudo, reminiscências arquitectónicas do século XIX, pedaços de pedra, símbolos salvos do martelo e do caterpillar. As camaratas dos alunos internos já não são como dantes, mas, nos corredores escuros que vão desaguar no laboratório de química e de ciências naturais, restam velhas carteiras, bancos e mesas de madeira roída, paredes cor de fumo. Frascos com espécimes em formol, teias de aranha, e um contínuo com ar de Quasímodo que traz as chaves que abrem as portas fechadas, as grades do conhecimento antigo. Os alunos hoje interessam-se por vídeos e computadores, não por tubos de ensaio. E naquele lugar eu reencontro o meu fantasma, odiando a natureza, o mundo natural,

as ciências químicas e físicas, os nomes dos répteis. Pessoa
queria Lord Byron, não queria a nomenclatura botânica.
E pensar que no seu tempo, as traseiras da escola, e das
casas de Berea, davam para o bush, e os elefantes batiam
com as presas nos troncos das árvores, abeirando-se peri-
gosamente do mundo dos homens. O reitor Bennison diz
que a escola primitiva vivia no meio do mato, e se poderia
ouvir às noites o rugido dos animais que a África agora
vende embalados em safaris para ociosidade de turistas.

Por que matou Pessoa a sua África? Nem um animal
ruge dentro das suas linhas. O seu ódio à aventura, aos
heróis e heroínas de aventura, explica muita coisa? Ele
lia Keats, Tolstoi, Voltaire, Shelley. Nunca leu Salgari
nem se deslumbrou com Sandokan, como eu.

Pessoa deixou a D.H.S. para regressar a Lisboa com a
família para umas férias prolongadas, de Agosto de 1901
a Setembro de 1902, depois de ter aprovado com distinção no primeiro exame, o Cape School Higher Certifi-
cate Examination. Voltou sozinho para Durban no
vapor alemão Herzog e a seguir matriculou-se dois anos
na Commercial School, frequentando os cursos noctur-
nos do Dr. Haggar, com o qual Charles Robert Anon se
viria a despencar no *Natal Mercury*. Nesta escola prepa-
rou-se para o exame de admissão à Universidade do
Cabo da Boa Esperança, a universidade na Cidade do
Cabo que apenas aceitava alunos em exames. Não teve
brilhantes resultados nesse exame mas, ganhou um prémio,
o Queen Victoria Memorial Prize, para o melhor ensaio
de inglês, entre 899 candidatos. Um texto que se perdeu.

Continuou os estudos na D.H.S., onde regressou em 1904, para a Form IV, e a severidade do headmaster Nicholas. No mesmo ano, faz o Intermediate Examination in Arts, na Universidade do Cabo, com boa classificação. Assim acabam os seus estudos na África do Sul. Em Agosto de 1905, desfeitas as expectativas de uma carreira universitária em Oxford, embarca novamente no Herzog para Lisboa, donde não sairá jamais. Se tivesse ido para Oxford com uma bolsa de estudos, em vez do colega Clifford Geertz, teríamos perdido Fernando Pessoa. E a literatura inglesa teria, talvez, mais um génio. Na Commercial School, desses dois anos aparentemente inúteis para o cérebro dele, nasceria a única profissão que Pessoa teve, correspondente comercial. Ali aprendeu os conhecimentos e rudimentos de comércio e de contabilidade. Ali nasceu, creio, o guarda-livros Bernardo Soares.

Olho os campos de críquete e imagino Fernando vestido de branco, com o taco nas mãos. Ridículo e improvável. Ele colaborou e foi editor do jornal da escola, mas, ao contrário do que julgamos, interessou-se pelo desporto, pelos resultados apenas. Gostava era de corridas de cavalos, de elaborar sistemas de apostas, tal como gostava de enigmas e charadas. Em casa, ao serão, deu-se ao trabalho de inventar um sistema de apostas. As corridas de cavalos eram, e continuam a ser, um dos acontecimentos sociais da época. E um vício sul-africano. O comandante Rosa levou o enteado a uma das corridas de gala, sabe-se, talvez venha daí o fascínio. Ou da teoria do jogo. Os números, o infinito jogo dos números, fascinavam o cérebro pessoano, tanto como as religiões ou o esoterismo o haveriam de fascinar e prender. Tenho de ir a Scottsville, às corridas, perto de Pietermaritzburg, a capital do Natal.

E amanhã, passo a tarde no Kylie Campbell Museum, que tem o nome de uma prima de Roy Campbell, o poeta inglês que T S. Eliot admirava e que estava a traduzir Pessoa quando morreu num acidente de automóvel em Portugal, onde está sepultado. Sem esta morte prematura, Pessoa teria tido a divulgação no mundo anglo-saxónico que não viria a ter. Pessoa é uma conjunção de acasos, incertezas. Não lhes chamarei infelizes. Os acasos não são infelizes, só as pessoas.

Os irmãos mais velhos de Campbell andaram com Fernando na Durban High School e deles nada sobrou. Roy Campbell estudou e leu Pessoa como nenhum inglês antes e depois dele, e a família é uma das famílias históricas de Durban. A casa de Kylie, o museu, fica em Berea, perto da escola, um lugar agradável e cheio de informações. Gilda, a professora de português, vai comigo.

Tomo uma última chávena de chá com o professor Bennison, e de repente descubro que deve existir ainda um descendente, apelido Jenkins, de um possível contemporâneo de Pessoa. Um filho. O professor Bennison conheceu-o por acaso, num jantar social, tem a certeza de ter ouvido dizer que o pai dele fora colega de Pessoa na D.H.S. Vive algures na costa, a norte de Durban, depois de Uhmlanga Rocks. Talvez me arranje a morada dele. Que coincidência espantosa, se eu não lhe aparecesse assim, vindo de Lisboa, nunca mais teria ligado ao pormenor.

Hoje é domingo. Vou de manhã às corridas e depois vou com o meu motorista indiano procurar este descendente, que vive num cottage à beira-mar, reformado, decerto muito velho. Bato-lhe à porta, o máximo que posso apanhar é uma armed response. Telefono primeiro. Vou sem avisar.

As corridas de Scottsville são um espectáculo de fulgor e decadência. De vencedores e vencidos. Fulgor dos jockeys e dos cavalos, suando ao sol do meio-dia, exaustos. Decadência dos que apostam e do casino pegado ao hipódromo, um monumento kitsch com um cavalo bestial, colossal como o de Tróia, e dezenas de roletas e de slot machines acariciados por velhos e velhas de olho vidrado na sorte. Not my kind of place. Muita cerveja e muito bóer.

Saímos dali e atravessamos campos e campos de cana--de-açúcar a ondular ao vento marítimo, mares de verde correndo junto ao mar azul, e aqui e além a mancha e a vergonha de um bairro da lata, miserável township, tantos anos depois da libertação de Mandela. A solidão dos domingos invade-me, destroça-me. Confesso que o mundo me começa a ser difícil como habitação. Verifico agora que nunca imaginei regressar a Lisboa depois desta viagem. Não imagino. Gostaria, por qualquer razão, de ficar em África, onde não pertenço. A viagem de sentido contrário à de Pessoa. Esta noite, no quarto do hotel, bebo muito, bebo de mais. Agora. Foi um dia extraordinário. Talvez vá sendo tempo de ir embora. I know not what tomorrow will bring.

156

Mr. Jenkins tem mil anos, a avaliar pela face mumificada, e uma biblioteca de pasmar. Recebe-me com Darjeeling e dois Doberman na porta, pasmado da minha curiosidade. Nunca ninguém de Portugal o procurara, nem ao pai dele, o tal que andara com Pessoa na escola. Ele lembrava-se que o pai falava de um rapaz sisudo e apessoado e muito inteligente, com o qual nenhum se pudera medir. Este Mr. Jenkins dizia Pessoa com pronúncia inglesa e dizia que tinha todo o gosto em mostrar-me a relíquia. A relíquia? Uma carta que o pai guardara ciosamente, vinda de Lisboa, desse tal Pessoa, escrita à mão, e que permanecera fechada dentro do sobrescrito durante anos. O pai jamais mostrara o seu conteúdo, apenas dissera que Pessoa fora o seu amigo secreto, e que nem os colegas nem a mulher teriam sabido daquela amizade. O filho encolheu os ombros. O pai contara-lhe a história antes de morrer. Ao regressar a Portugal, Pessoa desaparecera e reaparecera com aquela carta, a única, expedida tempos depois da despedida. Mr. Jenkins nunca a lera, era um inglês, respeitava o sigilo, mas, tantos anos volvidos, dispunha-se a deixar-me lê-la. Por que não? O pai sempre fora um homem misterioso e frágil, de compleição fraca, e talvez essa característica o tenha aproximado de Pessoa. A carta estava escrita a caneta de tinta permanente, e lia-se bem. Não fora exposta à luz. Nem à curiosidade. Mr. Jenkins filho herdara a biblioteca, preservara-a, era o único herdeiro. O seu interesse era por animais e caça grossa. A literatura, e sobretudo a poesia, parecia-lhe coisa de damas. Romantic dreams.

Cinco da manhã. Bebi de mais. É sexta-feira.

Vi a carta. Li-a durante toda a semana. Traduzi-a. Tudo vale agora a pena. Pessoa e Jenkins devem ter tido uma relação estranha, que a carta não denuncia, uma amizade de silêncios e repressões. A carta é uma pessoana despedida. Não da outra pessoa, e sim da amizade. Lisboa e a distância interpõem entre eles um adeus definitivo. Nunca, nunca esperei encontrar este fragmento de papel ali, assim, numa casa vigiada por cães de focinho afilado, apertada entre a terra e o mar a despenhar-se nas rochas em frente, com um velho a olhar para mim com os olhos azuis atrás das rugas. Um velho viúvo e solitário que não sabe bem quem é Pessoa. Falámos durante toda a tarde, jantámos, nesse domingo. Bebemos whisky. E no fim, abalado pelas recordações do pai, resolveu oferecer-me a carta, ao português bizarro. Makes sense, disse.

Leio-a e releio-a dentro da minha cabeça, mil vezes, e é como se as palavras falassem para mim. Me dissessem o que fazer. Tudo faz sentido outra vez.

O que farei com esta carta? Falo nela em Portugal? Entrego-a nas mãos dos pessoanos, dos teóricos, dos professores, dos amantes de Pessoa? Dos doidos tristes como eu? Ou da gente séria que pretende defender a obra e a pessoa de Fernando Pessoa? Reescrevo a história? A biografia? Traio o outro Mr. Jenkins? Trairei Pessoa? Desejo para mim mesmo tão pesada responsabilidade? A carta é um segredo, devo guardá-lo comigo, a história e a literatura nada são sem um segredo bem guardado. Olho dentro da minha cabeça a casa donde saí, as rochas a prumo, o mar português, o adeus português. Sei o que vim aqui fazer, vim, como ele, despedir-me. Missão cumprida.

I know not what tomorrow will bring.

Amanhã, pagarei ao meu motorista indiano de nome impronunciável o que lhe devo. Deambularei uma última vez pelas ruas. Fitarei o Índico na noite de azul-cobalto. Passearei na promenade, junto aos turistas e aos surfistas. Comerei camarões picantes e beberei cerveja gelada. A última refeição do condenado. De madrugada, em West Street, no hotel de que gosto, em frente ao bordel, tomarei um daqueles quartos de passe e de putas para mim. Queimarei este diário.

No dia seguinte, encontrarão o meu corpo. Mr. Jenkins, pai, pode ficar descansado.

Vai tudo dormir...

CONVERSA DE GAJAS
(ALL ABOUT EVE)

Ela roubou a minha vida. Não sei muito bem quando é que isto começou, sei que ela roubou a minha vida. Fui eu que lhe ensinei tudo. Quando a conheci era uma saloia de pernas grossas e gramática acachapada, um verbo de que ela gostava muito.

— Estou toda acachapada. Dizia ela a propósito de tudo.

— Saloia, ambiciosa, e muito esperta, muito esperta. Agora está na moda homenagear-se a esperteza, pode dizer-se de alguém que tem todos os defeitos mas se for esperto rola-se o olho de admiração.

— Ela é de facto esperta, e bruta como as pedras da aldeia onde nasceu. Onde quer que seja o ninho da vespa. Quando chegou a Lisboa e começou a fingir que fumava cigarrilhas, pedia, dá-me fogo, pode dar-me fogo? E pensava que o Kafka era americano. Uma espécie de primo do Orson Welles. Mr. K, Joseph K., cheirava-lhe a americano. Era ela a dar uma de culta. Mantive-a na ilusão. O corno corrigiu-a, o idiota.

— E dizia fogo a propósito de tudo. FOGO! Em vez de foda-se. FOGO! Ela roubava-te as cigarrilhas.

— Foda-se. Filha da puta. Deixei-me apanhar. Ela aparecia lá em casa a todas as horas, ficava a ver-me escrever, admirava muito escritores, dizia ela. Faziam-na sentir-se pequenina, pequenina, e davam-lhe vontade de crescer. De modo que ela ficava ali sentada, a fazer-me pequenos favores, enquanto me perguntava pelo meu romance. Já escreveu quantos capítulos? O romance nem sequer tinha capítulos. Se a besta me tivesse lido sabia que os meus romances não têm capítulos, aliás, ninguém escreve romances com capítulos, não sei onde é que ela foi buscar a ideia. Deve ter aprendido isso lá pelas berças que a viram nascer. Naquela altura era eu a escritora famosa, queria lá saber da grunha.

— Também nunca a puseste fora de casa porque ela elogiava-te. Fartava-se de te chamar um génio e tu ias na conversa. Eu vi logo o que ela queria quando ela começou a aparecer com a roupa igual à tua.

— Se eu tinha um lenço cor de laranja ao pescoço, na semana seguinte ela aparecia com um lenço cor de laranja ao pescoço. Se eu tinha um blusão de cabedal preto ela aparecia com um blusão de cabedal preto, só que não era cabedal, ela ainda não tinha dinheiro para esses luxos. Era pelica, napa, plástico. Vinil.

— Agora ela anda de Prada e Gucci para cima. Altas costuras.

— É o marido, aquele corno. Ela ganha bem, ele é rico. Já era rico quando vivia comigo. Quando vivia com a escritora famosa. Éramos o par ideal. Eu a mulher fina e afirmada, cheia de inteligência e obra, e ele o milionário. Devo dizer que éramos um casal bem sucedido. O par ideal. No São Carlos, bichanavam à nossa passagem. Muita inteligência não significa muita esperteza. Ela era, é, bem mais esperta do que eu. Era-me útil, contratei-a como secretária, assistente, sei lá. Moça de recados. O marido dela é o meu antigo marido, talvez seja bom começar por aí, pelo pormenor de ela me ter roubado o marido.

— O marido não foi a primeira coisa que ela roubou. Roubou-te a identidade, o estatuto, os romances, a fama, o dinheiro. Tudo isso agora lhe pertence, o marido é só um acessório. Fazia parte do pacote. O que ela queria era a tua personalidade.

— Foi aprendendo comigo.

— A escrever também. Lembras-te quando ela disse que ia tirar o curso de Literatura? E tirou, graças ao emprego de tua assistente que tu lhe arranjaste. Na faculdade fazia-se passar por íntima do casal, o teu casal, e roubava-te roupa do armário para aparecer bem vestida. Os professores começaram a reparar no decote, no olho entornado de sedução, no salto alto. Os homens são uns animais primitivos em frente a uma fêmea.

— Reparei nisso quando ela começou a tratar os professores pelo nome próprio. O Fernando, o Gustavo, o Eduardo. Ou, íntima, o Zé, o Tito, o Manel.

— Turma de basbaques.

— Não posso curvar-me ao cinismo, o cinismo é um ácido que corrói a alma, dá cabo da pele, deixa cicatrizes no corpo.

— O ressentimento é um vício feminino.

— Um dia ela apareceu com o curso tirado, a maquilhagem perfeita e um emprego na televisão, a televisão, essa salvação das Horríveis-Artes. Nossa Senhora Televisão, Mãe de Todos Nós, Redentora de Todas as Mediocridades. Ela tinha um palmo de cara, um palmo e meio de corpo, um patrocínio, muitos patrocinadores privados. Mandou-se. Foi um êxito, fazia programas íntimos, em que as pessoas se despiam, ou melhor, como ela dizia com aquele sotaque, «despiãoe aialma». Nessa altura dormia com o director de programas, o produtor, o administrador. Aviava todos, mais os escritores, que a faziam, à pequenina, sentir-se grande. Um génio, digo-te. Uma Catarina das Rússias, a aviar o Regimento de Lanceiros.

— E aviava também o teu marido, enquanto tu bebias dez Águas das Pedras por dia e fumavas três maços para veres se deixavas o álcool.

— Desintoxicação ao domicílio. Não resultou. Que posso eu fazer? Sempre odiei escrever, tornei-me uma romancista famosa e premiada sem gostar de escrever uma linha. Ainda hoje odeio escrever mas já não é interessante dizer isto nas entrevistas. Já não me fazem tantas entrevistas.

— Ela também é romancista, e mais famosa do que tu. Vende mais. Vende tudo o que publica. Parece uma padaria com pão quente às três da madrugada.

– Cabra. A especialidade dela são os bons sentimentos. Não faz boa literatura, já dizia o outro. Especializou-se naquilo. Não há causa que ela ponha de parte. Fetos abortados, velhinhos atropelados, órfãos desvalidos, mães solteiras, gatos abandonados, mulheres espancadas, deficientes estacionados. Não há miséria que ela não patrocine. E nos livros dissolve aquilo em água, bate as novelas em castelo com um bocado de açúcar, mete-lhe umas pitadas de sexo ao vivo, uma colherada de mel, um naco de pornografia, uma fatia de marmelada, e vende tudo embrulhado em celofane com um laçarote. Mais o bónus dos finais felizes contra os suicídios. Que xarope. O melodrama nunca passa de moda.

– As gajas adoram, ela escreve sobre conversas de gajas e são as gajas que compram livros. São os homens que os publicam e são as gajas que os lêem. Ela dorme com o editor.

– Os editores, são vários. Multinacionais.

– Tens razão. São as gajas que compram livros. Os gajos não lêem livros.

– Vêem a fotografia dela na contracapa, com as mamas de fora, e de vez em quando adquirem, como eles dizem, adquirem o objecto para oferecer à mulher ou à amiga ou à colega do emprego que andam a ver se conseguem papar. Querem impressioná-las com as leituras para adultos.

– Ela vende milhares, armada em romancista. Até os críticos disseram bem.

– Não todos. As gajas a quem ela levava ao programa da televisão diziam bem, as outras ignoravam-na.

Chamam-lhe a Madame de Estalo. Pobre Madame de Staël. As mulheres são todas umas cabras.

– Os gajos adoram-na.

– Até inventam adjectivos para aquela prosa engrossada como maizena com leite. Soberba sofisticação. Magnífico panegírico. Sublime sublimação. Prodigiosa captação. Tangível mestria. Uns analfabetos. Ela aviou os críticos todos, é o que dizem. Charlatona.

– E continua a aviar.

– O corno do meu marido, quer dizer, do marido dela, nem se importa. Ele também avia as que pode. Casais modernos.

– Tu não dormias com ele.

– Ninguém dorme com o cônjuge. Muito menos uma escritora. O mínimo que se exige a uma mulher que escreve é que não seja fiel a não ser à escrita. É isto que se deve dizer nas entrevistas, fica muito bem. Só sou fiel à minha escrita. E ponto.

– Conversas de gajas sempre venderam muito bem. A ti sempre te acusaram de escreveres como um homem. Preto. Azul escuro. Ela escreve a cor-de-rosa.

– Quando muito molha a paleta na púrpura, ou magenta, para disfarçar. Cor de brinco-de-princesa, diria ela com pala-vrinhas mansas, esticando a unha escarlate. As personagens dela, as gajas, têm todas unhas escarlates. Vampiras.

– Ela foi traduzida.

– Com cem mil exemplares vendidos até a burra da tia Aniceta era traduzida. Aquele livro dela, «A Minha Barbie Ficou Viúva», vendeu cinquenta mil à cabeça. E chamam àquilo romance.

— Tinha umas cenas de sexo a dar para o escabroso, com gigolos brasileiros que se passeavam na Caparica de tanga.

— *Rent boys.* Da treta. Nessa altura já ela ia a Milão comprar a roupa, já não precisava de patrocínios nem de descontos nas lojas. Passava o tempo a dizer nas entrevistas, isto é muito fashion, aquilo é muito fashion. Já não faz entrevistas, só dá. Chama-se a isto subir na vida.

— Ela subiu mas não consegue livrar-se do sotaque.

— Podes tirar a rapariga das berças mas não consegues tirar as berças da rapariga. Uma grunha é uma grunha. Com ou sem Milão no pêlo. Chanel na chinela.

— Dizem que ela fez uma plástica. No Brasil, claro. Aos trinta e três, a idade de Cristo. A idade de Cristo tornou-se a idade do lifting.

— E ficou amiga do Paulo Coelho. Fez-lhe uma entrevista e agora são íntimos, ela diz que ele a faz sentir maior, melhor, mais viva. Pediu-lhe um prefácio. Nessa altura ela aparecia muito nas festas do Rio.

— De Moncorvo para o Rio de Janeiro, é obra.

— Moncorvo? Isso é fado. Ela descobriu que o Borges tinha parentes em Moncorvo e passou a dizer que era daqueles lados. Parece que nasceu mesmo em Alpiarça, de parentes transmontanos, uns inocentes que não tinham culpa nenhuma. Morreram. O sotaque era lá de casa, nada a fazer. A espertalhona até tirou um curso de dicção.

— A língua foi sempre a especialidade dela. E não é a de Camões. E tu, que vais fazer?

– Eu entrei oficialmente em depressão. Deixei de escrever. Não preciso. Já ganhei os prémios todos, o Pen, o Ape, o Trifene. Ganhei a caneta de ouro, estou reformada. Vou esperar que ela envelheça, como eu. E que lhe apareça alguém lá por casa, vinda das tribos do interior, a oferecer-se para assistente, secretária, criada, escrava. Ninguém resiste a uma oferta destas. Daqui a dez anos já ela tem uma melhor que ela a soprar-lhe no pescoço. O corno do meu marido, do marido dela, se ainda for a tempo, ainda casa com a outra.

– Ninguém resiste a um milionário.

– Nem eu resisti, e era bem mais novo quando casei com ele. É a lei de Darwin. Até a espécie das cortesãs vai evoluindo. Agora escrevem livros. Fazem televisão. Já não precisam de ter um salão.

– Fogo!

MALA DE SENHORA

A carta chegou de manhã, dirigida à mulher. Um sobrescrito de papel timbrado, com o endereço de uma casa de luxo, em Paris. Dizia, simplesmente, que a mala estava pronta e inquiria com fineza se ela preferia que a enviassem por correio expresso ou se pensava recolhê-la em pessoa, viajando até Paris.

Ele pegou na carta, passou os dedos ao de leve pelo papel cor de creme, pela sua espessura macia, e esteve tentado a cheirá-la, como se a carta cheirasse a perfume, um perfume de mulher, de uma mulher que não fosse dele. A carta cheirava a papel, simplesmente.

Não queria que fosse o perfume da mulher, a mistura de rosa e jasmim que o enjoava. Porque lhe traria à cabeça o remorso dos dois últimos anos, vinte e quatro meses a compor uma viuvez com dignidade, para fora, e a vivê-la como uma traição amorosa, para dentro.

Nestes dois anos em que a morte dela lhe restituiu a liberdade, como quem restitui a liberdade a um preso político, tem tido as amantes que pode e as que não pode, as amantes dele e as amantes dos outros. É um traidor compulsivo, e incapaz de gastar um dia sem amar uma mulher. Todas lhe servem. Observa-as de longe, como uma ave de rapina empoleirada num telhado, à espera da vítima. Gostaria de ser uma águia alta, quieta num penhasco da montanha, com o pescoço erguido contra o sol e o vento, um animal bravio e sem temor. Teme parecer-se com o abutre africano, com o pescoço encolhido e a asa arrastada num fingimento, uma falsa paciência de garras curvadas para dentro e bico de lado, farejando a presa. É, nos desvarios de casanova, discreto como um criado de quarto. É, nos jogos de alcova, secreto como um Leporello.

Dorme com as mulheres dos amigos, dos colegas, dos inimigos. Dorme com as solteiras, as casadas, as divorciadas, as entediadas e as desanimadas. Dorme com elas, deixa-as. E recomeça todos os dias. Quando a mulher era viva não ousava enganá-la assim, em série. Tomava cautelas, apresentava justificações, bordava o pano cru da traição com mentiras. Ela suspeitava e desistira de o vigiar como dantes, quando ainda o amava, quando tinha a intuição e o escrúpulo do polícia do casamento. Bolsos revirados, agenda passada em revista, interrogatório de testemunhas, incluindo a secretária dele, tão policial como a mulher, e à qual o patrão pagava o proxenetismo involuntário e o silêncio.

Com a passagem dos anos, foi aumentando tudo. Aumentou a fome de mulheres, na dobra dos quarenta. Aumentou o ordenado da secretária. Aumentou o tecto do cartão de crédito da mulher. Ela deixou de o amar e passou a odiá-lo. Ele pagava as contas, sem um queixume, admirado da voracidade por roupas, objectos, sapatos, joalharia, cabeleireiros, perfumes, cremes de beleza. Nunca lhe perguntou se aquele espírito aquisitivo era uma resistência à velhice, ou à extinção. Se era uma vingança.

A mulher fora bonita e envelhecera dez anos antes dele, sendo os dois, ela e ele, da mesma idade. Estava disposto a não a acusar de ter perdido a juventude e a esquecer o embaraço que lhe causava a ela responder em público quantos anos tinha. Ela baixava os olhos velados de hábito e ressentimento, e gracejava dizendo que ele parecia mais novo porque era o doutor Fausto. Todos os homens eram o doutor Fausto e assinavam um pacto com o Diabo.

Estas alfinetadas entre amigos, estas discussões de idades e formas, pesos e medidas, clínicas e cirurgias estéticas, caíam por cima do jantar em casa de íntimos, sorvidas como um vinho velho à sobremesa. As mulheres são exímias em espetar agulhas umas nas outras, um trabalho de costureiras de dedos picados. Sobretudo, as mulheres dos amigos.

Quando a mulher fez a operação à cara ele pagou, e nunca mais conseguiu tocar-lhe. Por essa altura, a distância física instalara-se entre eles, como um oceano a separar dois continentes. O corpo dela e o corpo dele.

À noite, ao deitar, chegava-se cada um para a beira da cama larga, a cama king size dos hotéis de cinco estrelas, e no meio afundava-se esse oceano onde iam naufragar os terrores, as rejeições, as ofensas de um casamento de vinte anos. O casamento tinha metade da idade que tinham, era mais jovem do que os dois.

Quem lhes dera ter vinte anos. Ele via na cabeça uma lua em quarto crescente, por baixo dos cabelos brancos. Via as pernas a fraquejar, o tronco a engrossar. Ia ao ginásio e julgava afastar a idade mais umas horas, mais uns meses. As mulheres achavam-no bonito e forte, gostavam dele como dantes. Ela via a cara ao espelho, o sobrolho caído, a pálpebra sem vida, a pele de ferrugem, o cabelo de tinta desbotada. Os homens já não gostavam dela como dantes. A lei da gravidade andava a dar cabo dos dois. Como manobra defensiva, ela comprava coisas, ele comprava mulheres. Ela comprava coisas novas, ele comprava mulheres cada vez mais novas. Só mudou de padrão depois de ficar viúvo, por causa do interesse que desperta nas mulheres mais velhas. As mulheres mais velhas amam um viúvo, é para elas um estado civil interessante, aureolado de romantismo. Sobretudo, as mulheres dos amigos.

Quando a mulher adoeceu cresceu-lhe no coração a sombra de um remorso. Lembra-se do entardecer em que ela o chamou à sala, e com um copo de whisky na mão, cheio de gelo até acima, lhe disse num tom metálico, numa voz raspada. Tenho cancro. Como quem diz, tenho cancro e a culpa é toda tua, toda tua. Vou morrer e a culpa é toda tua, toda tua. Tu. Mataste-me. Ela não disse nada disto e ele sentiu as palavras por dizer a escaldar na pele. Uma acusação de assassínio. Ou talvez ele se sentisse um assassino. Ficaram parados numa mudez e ela disse que queria ouvir música, jazz, como quando tinham vinte anos. Serviu-lhe mais um whisky, com a distinção de uma hospedeira, com o ar elegante de quem pensa num problema pela primeira vez. Enquanto a música os envolvia em espirais ligeiras como um fumo de cigarro. Cancro.

Ele não tinha contado com isto. No mundo dele, o controle é essencial. É um homem de negócios, o que os panfletos das companhias aéreas e as revistas de economia e de moda designam por executivo. Na verdade, não executa, apenas decide e os outros executam, os subordinados pagos. O poder de decisão é o poder de controle, o poder de mandar obedecer, o poder de pagar. Pagar os salários dos outros ou as contas da mulher tornava-o isento do imposto da aceitação, isento da contribuição da tolerância. A mulher dizia que o marido desenhara o mapa da vida dele e o pendurara na parede como as crianças penduram o mapa do mundo no quarto, entre a cama e o guarda-fatos, com os brinquedos esquecidos aos pés.

No mundo dele não pode haver erro. Nas decisões autoriza percentagens de risco, margens de dúvida, pontos óptimos de resultados, gráficos de orientação. O cancro é uma estatística que lhe é estranha, um território onde as coisas acontecem aos outros, os que não têm controle sobre a sua vida. Como é que isto lhe acontecera? Não a ela, a mulher. Ao marido, a ele. A doença ia alterar o estatuto que conheciam, os rituais de sobrevivência, companhia e tédio, o consentimento das infidelidades e a ausência da beleza para lugar incerto. Cancro. Ele não tinha contado com isto.

Consultaram todos os médicos, os peritos, os especialistas, os estrangeiros, os famosos, os professores. Todos se referiam à doença pondo um cuidado nas palavras, pegando-lhes com uma pinça, avançando hipóteses, incertezas misturadas com possibilidades. Tudo tão vago, tudo tão esmiuçado e vago, embrulhado no papel celofane da linguagem médica. E falava-se do cancro como se fosse um segredo, um murmúrio.

Quando perdeu o cabelo, a mulher retirou-se de cena, minada de vergonha. Deixou de falar ao telefone, de atender solicitudes, de abrir os cartões de visita das flores, de desempenhar o papel da doente heróica no teatro dos hospitais. Por essa altura, estava tão doente da quimioterapia que deixara de lhe importar o fim da peça. A mulher trocou a coragem por uma serenidade carregada de indiferença, e tomou refúgio dentro da culpa do marido. Ele, o culpado oficial, finalmente convencido a aventurar-se na viagem marítima e a atravessar o oceano que os separava. Navegou até ela, guiado pelo desejo da despedida, tentando proteger-se da culpa depois da morte. Se a tratasse bem agora, não poderia culpar-se mais tarde. Depois de. Uma cumplicidade tomara conta dos dois, e conseguiam, nos intervalos da claridade perdida, rir juntos, fazer planos, as férias nos trópicos quando ela estivesse melhor, a ida ao deserto quando ela ficasse boa, a semana noutra cidade quando ela saísse do tratamento. Ela parecia acreditar por instantes nas teorias da sobrevivência, no poder da estatística de salvação contra a estatística de cemitério. As histórias de sobreviventes pareciam dar-lhe ânimo excepto quando de repente ela se punha muito quieta e dizia, tenho meses de vida, talvez semanas, e não sei o que se pode fazer em tão pouco tempo.

Parecia uma estátua feita de desespero, uma matéria mais dura que o diamante, mais transparente que o diamante. Desespero puro, um cristal de lágrimas a refulgir na penumbra das madrugadas. As madrugadas da tristeza a dois, com ele a navegar até ao sumido corpo dela, saltando os abismos do mar do conjugal. Ele pegava-lhe como quem pega num filho moribundo, crucificado de espinhos, a sangrar. Ele era a pietá pela madrugada dentro, e pela primeira vez uma ternura saía-lhe das mãos e dos braços e descia até ao sumido corpo dela, disputando-a com a morte.

Nunca tinham tido filhos. Ela fizera os testes, os tratamentos fertilizantes, ele fizera os testes, não havia causa aparente. Ela tinha tomado todas as drogas da ovulação, e o cancro aparecia-lhe, achava ele, como uma consequência de tantas drogas tomadas, comprimidos, datas, sacrifícios, amor com calendário e metrónomo. A espera do filho tinha decretado o fim do amor, e transformara o casamento num dueto de egoísmo e conformismo. Assim tinham chegado àquele largo desolado, cheios de sentimentos sem ter a quem dar, como presentes por desembrulhar.

Ele apanhava as mulheres, ela apanhara as consequências.

O cancro dera-lhe a oportunidade de se portar bem. Pagava as contas das clínicas e dos tratamentos sem o prazer sádico com que pagara os costureiros e as costuras da cirurgia estética. Tomava nota das necessidades, mandava vir os ajudantes, e deixara de perseguir as senhoras. O cancro, a evidência dos perigos de um corpo que deixa de obedecer aos comandos, tinham comandado nele uma vulnerabilidade. Era fiel. O sexo arrepiava-o, dava por ele a ter medo da sida, que nunca tivera, e a fazer as contas ao caso. A espontaneidade, a brutalidade da sedução, desapareceram, e ficou um resíduo de amargura, um gosto de sal e areia na boca. Olhava para as mulheres, o corpo nu, e via o corpo da mulher, destruído e massacrado, prodigiosamente finito. O casanova reformou-se por uns tempos, e ficou o Leporello, cuidando do amo, afagando as feridas da consciência, escovando os fatos.

Ela morreu durante a noite, com ele a velá-la, sentado muito direito na cadeira do quarto da clínica, alumiado pela luz fluorescente que faz dos habitantes dos quartos cadáveres precoces. Uma luz pálida, uma luz de morgue, que lhe faz os cabelos brancos de um velho. Nunca tinha visto ninguém morrer, não sabia que era assim, uma agonia sincopada nos aparelhos, milimetrada nos tubos e sacos de plástico, uma vida destilada em água e morfina, a escorrer para a eternidade a conta-gotas como o soro para as veias. Ele estava de camisa e gravata, tinha bebido uns whiskies, e as olheiras pareciam vincos por engomar. Depois, levantou-se. E percebeu que cessara, a respiração, o bater do coração, a pulsação. Não chorou nem teve vontade de chorar. Pegou no telefone, avisou as pessoas, controlou as coisas. Tratou do funeral, das flores, dos papéis, do padre. Consolou a família, os amigos, e foi consolado. Com os olhos secos de insónia e desgosto sentiu-se pela primeira vez na vida completamente só. Desejou uma lágrima que o libertasse mas o choro não caía, barrado pela disciplina das emoções. As pessoas acharam estranho não chorar.

Ele ofereceu-lhe como último presente um lírio branco que pôs nas mãos dela antes de a fecharem dentro do caixão. O sopro de Deus não o aliviou e deu por si a reparar nisso da condição humana, viver para morrer, que estupidez. Tudo tinha corrido mal.

Em casa, à noite, tomou um banho e decidiu sobreviver. Sem ela. Como dantes. Passados seis meses, recomeçou a dormir com as mulheres, todas as mulheres, convencido de que estava perdoado. Sentia a falta dela, do silêncio dela, do ódio dela, da presença dela. Ela era uma cicatriz na pele dele. As outras eram um ruído de fundo, uma música de acompanhamento para o vício principal, o vício da perseguição, o vício da vitória. De qualquer modo, não voltaria a sofrer assim, não voltaria a desamar assim.

A carta chegou e ele pensou que era engano. Viu a data. Como é que a mulher podia ter encomendado uma mala depois de morta? Como é que podia ter ido a Paris encomendar uma mala depois de morta? A mulher morrera há dois anos, e passara o último ano de vida muito doente, sem forças para viajar nem para encomendar malas. A mala estava paga? Pensou que era uma partida, uma mulher que o queria apanhar, não, nenhuma ousaria. Nenhuma o conhecia. Quem poderia usar o nome da mulher dele numa encomenda? Teve um arrepio de frio, como se o fantasma da mulher regressasse para o atormentar enviando-lhe a conta por pagar. Como se a mulher continuasse, no túmulo, a usar o cartão de crédito, a comprar inutilidades, a encomendar malas de pele com fechos doirados.

Decidiu ir a Paris buscar a mala. Seria uma mala de mão, uma mala de senhora? Seria uma mala comprada por um amante da mulher? Pela primeira vez na vida desconfiou dela, suspeitou um adultério, uma iniquidade, um homem tentando passar-lhe um sinal da sua infelicidade. A mulher enganava-o? Sacudiu os ombros, mais arrepiado, e disse para si que era uma estupidez. Tinha de se controlar. A mulher estava morta. Era um engano, não era uma partida, não fora enganado.

No avião, a ansiedade começou a crescer como água na boca. Que se passava? Estava a perder o controle pela primeira vez na vida. Logo que pousou a mala no hotel foi à Rue du Faubourg-St.-Honoré, entrou na loja. Mostrou a carta de papel timbrado. A empregada, uma francesa chique e aprumada, atendeu-o com um sorriso loiro, o bâton colado aos lábios, o perfume certo. Claro, ia tratar imediatamente de ver o que se passava. Foi chamado a um compartimento interior, um minúsculo salão dentro da loja de luxo, onde foi recebido por outra mulher ainda mais chique e aprumada, mais bonita, mais perfumada. Mais jovem. A directora da loja. Ele sentia o cheiro dela, era um animal atento.

A mulher pegou na carta, no nome, ouviu a dúvida dele com uma amabilidade que cheirava a âmbar, a especiarias, aos perfumes da marca com o nome da loja. Não, não era um engano. A mulher tinha efectivamente feito aquela encomenda, e a mala estava paga e pronta. Era uma mala de senhora, uma mala kelly, uma mala com o nome da princesa morta do Mónaco. Kelly, como em Grace Kelly. Ela dizia quêli, com os lábios franzidos. Ele deu por ele a olhar para os lábios dela, pareciam fruta. Uma mala Kelly?

Sim, explicou ela com um sorriso de porcelana. A mala kelly, uma mala toda feita à mão, em edições limitadas, demorava dois a quatro anos a ser entregue depois de encomendada. A mulher dele, uma cliente da casa, estava na lista de espera, e tinham conseguido entregar-lha mais cedo do que previsto, antes dos quatro anos da ordem. A mala Kelly era encomendada por artistas, estrelas de cinema, manequins, milionárias, mulheres dos sheiks do petróleo. A casa não conseguia apurar uma mala daquelas antes de dois anos. Muito requisitada, a quêli. Impossível, monsieur. A casa orgulhava-se das suas malas de senhora e de viagem, das selas de couro, das botas de montar, dos cintos e fivelas, dos lenços de seda pintada, dos perfumes do oriente, das colónias de laranja verde. Mas, a mala Kelly era uma raridade, uma volúpia, o produto de luxo absoluto. Monsieur.

Ele não sabia. A francesa, numa voz de feltro, perguntou-lhe se a mulher tinha vindo com ele, decerto ela iria ficar feliz com a sua mala quêli. Havia clientes dispostas a esperar anos e anos por uma quêli. As senhoras são muito afeiçoadas às suas malas. Ele respondeu-lhe que os homens eram diferentes. E que a mulher estava morta.

Os homens nunca hão-de perceber as mulheres. Esperar anos e anos por uma mala? Como quem espera um filho? Por que é que as mulheres gostam tanto de objectos novos? Por que é que os homens gostam tanto de mulheres novas?

A mulher estava morta, mademoiselle. A francesa abanou com a violência da frase. Morta? Madame? Tentou, evidentemente, consolá-lo.

À noite, foram jantar juntos junto ao Sena, ele deu por si a contar-lhe a história do casamento, a confessar o fracasso. Casaram passados seis meses e ela deixou de trabalhar, deixou Paris por Lisboa, deixou tudo por ele. Ele ofereceu-lhe a mala. Ela usa a mala quêli com o aprumo de uma senhora.

O Expresso e as revistas *Egoísta* e *Tabacaria* acolheram alguns destes contos. Outros são inéditos. A paródia (e homenagem queirosiana ao 25 de Abril), «O 25 de Abril Nunca Existiu», foi encomendado e publicado pelo *Expresso* – Revista nos 25 anos do 25 de Abril. «Vira o Disco e Toca o Mesmo» foi representado no Teatro Villaret (numa versão amputada) por Maria Rueff, parte do espectáculo INOX.

Bibliografia

A Pluma Caprichosa (crónicas, 2001)

Passageiro Assediado (prosa poética, 2004)

Mala de Senhora e outras histórias (contos, 2004)